Dans l'intimité
des DICTATEURS

MARC LEFRANÇOIS

City

© **City Editions 2014**
Couverture : © Rue des Archives/Tallandier
Adolf Hitler et Helga Goebbels, la fille de Joseph
Goebbels, en 1931 à Berchtesgaden en Baviere.

ISBN : 978-2-8246-0392-6
Code Hachette : 51 4174 2
Rayon : Histoire
Catalogues et manuscrits : www.city-editions.com

Dépôt légal : janvier 2014
Imprimé en France par France Quercy, 46090 Mercuès - n° 40001/

SOMMAIRE

*Ils croient posséder le pouvoir
et c'est le pouvoir qui les possède.*

CHAMFORT

Introduction

Platon rendant visite au tyran Denys de Syracuse. Le fait semble improbable. Comment le plus grand esprit de son temps aurait-il pu vouloir rechercher la compagnie d'un des pires despotes de l'époque ?

Pourtant, en 387 avant notre ère, le philosophe s'était bel et bien rendu en villégiature en Sicile sur l'invitation du tyran. Il avait même été reçu à la cour avec les égards dignes d'un roi. En retour, charmé du bon accueil et envoûté lui-même par le dictateur, Platon entreprit de l'initier à la philosophie. Mal lui en prit : Denys, vite fatigué par son ton moralisateur, fit jeter l'impudent et imprudent philosophe dans la première embarcation venue.

Le navire spartiate prit la mer, croisa la route de pirates qui s'en emparèrent, capturèrent le philosophe qui fut aussitôt vendu comme esclave. Racheté plus tard et libéré pour « vingt mines d'argent », Platon s'assurera de ne plus quitter Athènes, où il se consacrera plus sagement à la création de son Académie.

Le grand Platon s'était complètement trompé sur la personne du tyran Denys. Son illusion était double, car, au prestige d'homme d'État qu'il lui avait prêté, était venu s'ajouter sa croyance qu'il était possible de l'éclairer des lumières de la philosophie et de l'enseignement de son maître Socrate.

Dès lors, dans la mesure où un esprit aussi remarquable que celui de Platon s'était laissé abuser, il est aisé de comprendre le pouvoir que les dictateurs purent exercer sur les foules. Une fascination qui laissa place à la désillusion, à la colère et à la haine, mais une fascination qui ne doit pas faire oublier qu'au-delà de ces émotions, il importe plus que tout de chercher à comprendre les mécanismes du mal, à saisir le « diabolus ex machina » qui, avec tout l'art des imposteurs, œuvre dans l'ombre en attendant son heure.

La biographie de dictateurs constitue indiscutablement un terrain fécond en controverses, mais il est certains aspects de leur vie intime qui nous sont connus par le témoignage de leurs proches ou parce ce qu'ils en ont dit dans leurs journaux, leurs mémoires ou leur correspondance. Cela n'exclut pas, bien sûr, la possibilité d'histoires plus ou moins apocryphes, les récits les plus sordides venant se substituer à la légende dorée des hagiographies.

Dès lors, il est difficile d'imaginer que l'on puisse – et encore moins que l'on souhaite – nuancer l'image qu'ils ont laissée, même si cela ne doit pas impliquer de s'en tenir à une légitime condamnation de ce qui fut leur politique. Spinoza nous invitait à ne pas haïr, ne pas juger, mais toujours chercher à comprendre.

Un principe noble, mais rude.

Et pourtant, malgré tout ce que nous inspirent les monstruosités passées, nous devons nous efforcer d'éclairer ceux qui furent, malgré tout, des hommes. En illustrant quelques-unes de leurs faiblesses, en mettant en lumière certaines manies étonnantes, en développant des aspects insolites de leur existence, nous n'arriverons peut-être pas à expliquer ce basculement, cette corruption démoniaque de l'humain, mais cela participera sûrement de ce mouvement qui doit nous pousser en toutes choses à préférer la connaissance, l'ouverture et la curiosité d'esprit, plutôt que l'obscurantisme de jugements a posteriori.

C'est aussi l'occasion d'une réflexion sur le rapport étroit qu'entretient le pouvoir avec la folie : « Le pouvoir tend à corrompre, le pouvoir absolu corrompt absolument. Les grands hommes sont presque toujours des hommes mauvais. » Cette pensée d'Emerich Acton est caractéristique d'une époque où l'on commença à s'intéresser vraiment à la psychopathologie des empereurs.

Le XIXᵉ siècle était riche en autocraties et, bien que le monde n'ait pas encore connu les totalitarismes du siècle suivant, on cherchait déjà à comprendre l'influence que pouvait avoir sur un homme l'exercice d'un pouvoir illimité. Une étude que mena notamment l'historien français Franz de Champagny, spécialiste de la Rome antique, associait déjà l'*hybris* des Grecs (ὕϐρις), la démesure, à un pouvoir sans frein :

« De là ces étranges natures impériales, ces types qui ne se retrouvent pas ailleurs dans l'humanité, ces hommes qui après avoir gouverné sinon avec vertu, du moins avec prudence furent tout à coup pervertis ou jetés en démence par le pouvoir : Néron, Caligula. De là ces monstres de sang et de folie [...]. Il y a chez eux du vertige : placés trop haut, la tête leur a tourné ; ils ont vu sous leurs pieds un trop immense espace, trop de peuples, trop de pouvoir et en même temps aussi un précipice trop glissant. Leur cerveau n'a pas tenu à ce mélange d'excitation et de terreur[1]. »

Ces empereurs romains ne sont bien sûr pas les premiers autocrates de l'histoire, mais ils constituent un point de départ intéressant pour cette petite exploration de l'intimité des dictateurs. Caligula, paradigme même de l'autocrate psychopathe ayant atteint le sommet de la luxure et de la cruauté avec un triple inceste sororal, annonce celle de Néron, figure d'apocalypse, symbole du vice et de la barbarie entaché par les meurtres de son demi-frère et de sa mère. À ce titre, le règne d'Héliogabale clôt avec le même esprit de folie et de démesure cette infernale trilogie impériale.

Ces règnes placés sous le signe de la cruauté, de la terreur, de la paranoïa et de la folie vont trouver dans l'histoire de nombreux échos qui se feront tristement connaître par leur influence délétère et leur contribution sanguinaire à l'humanité.

D'ailleurs, on sera heureux, pour une fois, de l'absence de parité hommes-femmes, celles-ci étant largement minoritaires dans une « profession » presque exclusivement masculine. Cependant, l'histoire a également connu quelques terribles femmes autocrates qui s'attachèrent à prouver qu'il n'existe pas de sexe faible.

Moins nombreuses que les hommes, elles n'en furent pas moins cruelles, à l'instar des impératrices Théodora et Irène. Si la première se distingua par une destinée hors normes (de simple prostituée, elle devint impératrice byzantine), l'histoire de la seconde fut profondément entachée par les atrocités par lesquelles elle se distingua, prouvant ainsi tristement que les femmes peuvent être égales en tout aux hommes, même dans le crime.

Égales, mais peut-être pas au point de se faire diviniser et d'inventer en leur honneur une religion. C'est ce que fit al-Hakim, un calife ayant régné sur Le Caire, qui fut longtemps ignoré en Occident avant d'être redécouvert par Gérard de Nerval lors de son voyage en Orient. L'écrivain, fasciné, fera de ce personnage des *Mille et Une Nuits* le héros d'un récit tout aussi romanesque : « Ces détails m'intéressaient tellement, que je voulus connaître enfin la vie de cet illustre Hakem, que les historiens ont

peint comme un fou furieux, mi-parti de Néron et d'Héliogabale[2]. »

Cependant, il est des détails que l'on ignorerait bien
volontiers, comme ceux qui permirent à Hongwu Ming de
devenir empereur, de gouverner la Chine et de fonder la
dynastie Ming, ou ceux qui valurent à Ivan le Terrible un
surnom amplement mérité.

Cet exposé de leurs crimes est révoltant et redoutable
en ce sens souligné par Procope qui craignait, en révélant
les actes monstrueux, de stimuler l'émulation et de contri-
buer à la célébrité des êtres les plus vils et malfaisants :
« Autre chose encore, pourtant, m'a souvent et longtemps
retenu, quand j'aspirais ardemment à entreprendre ce
récit : j'estimais en effet qu'il serait sans utilité pour la
postérité. Car il vaudrait beaucoup mieux que les actions
les pires restent inconnues des temps futurs plutôt que de
devenir, lorsqu'elles parviennent aux oreilles des tyrans,
des modèles à imiter[3]. »

Mais l'heureuse ignorance et l'oubli salvateur doivent
s'effacer devant le devoir de mémoire. Une mémoire
nécessaire à éclairer certaines périodes sombres de l'histoire occultée ou déformée par les idéologies ou les
nécessités politiques. Robespierre, premier des dictateurs
modernes, bénéficia longtemps d'une certaine indulgence
et d'une étonnante oblitération des crimes dont on dit qu'il
fut seulement le théoricien. N'aurait-il pas fallu se méfier
de la violence politique, même lorsqu'elle est seulement
verbale ? Longtemps après, d'autres théoriciens, comme
Alfred Rosenberg, n'auront été craints que bien trop tard.
Le monde avait déjà basculé dans la folie.

Pourtant, Benjamin Constant avait établi toute une
thèse sur l'impossibilité d'un retour massif à la tyrannie,
parce que les tendances guerrières, après Napoléon, ne
pouvaient que disparaître, parce qu'un goût universel se

précisait pour le repos, les jouissances et la liberté individuelle… C'était ignorer l'aphorisme posé par Fustel de Coulanges qui avait sombrement remarqué que « ce n'est pas par des principes rationnels qu'on mène le monde ».

À ce titre, le XXᵉ siècle fut largement dominé par des principes irrationnels.

Et même démentiels.

Ce XXᵉ siècle allait être particulièrement fécond en dictateurs, tyrans contemporains au service desquels se mirent la science moderne et l'idéologie[4], mamelles nourricières de ces jumeaux sombres du progrès. Certains s'emparèrent du pouvoir par un coup d'État, des crimes individuels ou collectifs, d'autres furent hissés au sommet par une population en quête d'un régime fort, fascinée au-delà de la morale par de terribles illusions. Lénine, Mussolini, Staline, Hitler, Mao, Pol Pot… Autant de noms qui furent les porteurs de rêves de tout un peuple avant de devenir synonymes des pires monstres que l'humanité put engendrer. À lire leurs méfaits, nous ne pouvons qu'être frappés par le sens de la démesure meurtrière caractérisant des existences qui auraient pu connaître une tout autre tournure, sans les terribles caprices du hasard et l'humaine faiblesse de peuples aveuglés par l'ignorance et une incompréhensible soif de violence.

Mais Démos se baigne dans le Léthé.

Les autocraties naissent de l'oubli du passé. C'est ce qui arrive quand un peuple, oublieux des leçons enseignées par l'histoire, se met à nourrir à nouveau des rêves insensés et est impuissant à voir que le populisme, rimant souvent avec bellicisme, n'est que la promesse cachée du malheur. C'est ainsi qu'une démocratie plaça légitimement Hitler au pouvoir. Un monstre sanguinaire qu'une autre destinée aurait pu condamner à l'existence médiocre et anonyme d'un peintre raté dont la malfaisance se serait limitée à une piètre contribution à l'histoire de l'art. Au lieu de cela, le chaos délétère de la barbarie se déchaîna comme jamais dans l'humanité, avec dans le crime un coauteur monstrueux : Joseph Staline.

Ces démoniaques contrefaçons humaines furent assurément les dictateurs les plus meurtriers de tous les temps, mais le ventre des bêtes immondes était encore fécond. Après eux surgirent çà et là de tristes et pathétiques épigones. Batista, Fidel Castro, Khomeyni, Ceausescu, Pinochet, Kim Jong-il... Autant de personnages qui auraient dû rester cantonnés au second plan de l'histoire. Mais ces insignifiants trublions politiques, peu séduisants au moral comme au physique, réussirent à se distinguer par leurs exactions, et l'histoire finit par les remarquer, un peu à la façon dont certains malfaiteurs deviennent « bien connus des services de police ».

Comme Trujillo, Papa Doc, Bokassa ou Idi Amin Dada, ils commirent les pires atrocités par simple fantaisie, déclenchant une guerre par ennui, ordonnant par caprice un massacre ou une de ces atrocités que rien ne rédime. Leurs actions furent comme détachées du paramètre de la raison, mues par une seule et infernale volonté destructrice.

Infernale volupté également. À détruire et à jouir.

Avec eux, Éros n'est jamais loin de Thanatos.

Monstre protéiforme, Janus aux deux visages, le dictateur peut se montrer sous l'apparence glorieuse d'un chef charismatique célébré par la propagande d'État, un politique cynique et arrogant avec lequel les démocraties doivent négocier sans cesse ou la figure cynique et moqueuse d'un dirigeant se pensant immortel.

Fort heureusement, comme l'avait déjà observé Thalès de Milet, « rien n'est plus rare au monde qu'un vieux tyran », et la plupart des dictatures portent en elles les germes de leur propre destruction. Un destin inhérent à la condition précaire d'habitudes de vie incompatibles avec la longévité. Ce n'est point hasard si presque tous les tyrans, nés de la violence, meurent violemment.

Ce fut d'ailleurs la seule leçon que le tyran Denys de Syracuse avait retenue de Platon. Pour ne pas l'oublier, il avait fait suspendre par un crin de cheval une épée destinée à lui rappeler que le pouvoir avait deux faces et qu'à la puissance s'associait toujours étroitement la possibilité d'une mort violente.

Saddam Hussein et Kadhafi avaient peut-être fini par oublier cette « épée de Damoclès ». Leur mort récente et le récit de leur exécution viennent clore cette longue liste d'atrocités.

Des exécutions que certains pourraient considérer comme un châtiment juste, bien que tardif, ne seraient-ce l'arbitraire et la violence de ce qui ne fut, au mieux, que des parodies de justice. Ces vengeances brutales et expéditives ne furent finalement qu'une faible consolation pour les victimes terrifiées et pour l'humanité bafouée.

Elles nous rappellent néanmoins que les dictatures, bulles d'égotisme gonflées de violence, finissent très souvent par éclater avec fureur et fracas. Il ne peut rester d'elles que ces sombres taches indélébiles au regard de l'histoire et de ses témoins. « Ils sont venus comme des ombres, et comme des ombres partis[5]… »

---

1 Franz de Champagny, *Les Césars*, A. Bray, Paris, 1859, vol. I, p. 331.
2 Gérard de Nerval, *Voyage en Orient*, Gallimard, Folio classique, 1998, p. 469.
3 Procope de Césarée, *Histoires secrètes*, Les Belles Lettres, 2009, I, 6.
4 Léo Strauss, *De la tyrannie*, Gallimard, 1954, p. 42.
5 Thomas de Quincey, *Les Césars*, Le Promeneur, 1991, p. 142.

CALIGULA,
l'inceste et la débauche

Les chefs de guerre ont souvent vu leur patronyme s'étoffer d'un qualificatif plutôt évocateur de leurs qualités premières : Alexandre « le Grand », Pierre « le Cruel », Ivan « le Terrible », Vlad « l'Empaleur »...

Pour Caligula, ce sera « la Petite Godasse ».

Voilà un surnom assez peu glorieux pour un empereur romain. Il serait né d'une plaisanterie militaire, le jeune Caïus Julius Caesar Germanicus[1] ayant été élevé au milieu des soldats, il portait leur costume[2], dont la *caliga*, la chaussure des légionnaires.

Cependant, l'attribution de ce surnom n'eut rien de ridicule et fut surtout une marque d'estime et d'affection de la part de vieux soldats désireux d'honorer l'enfant d'un de leurs plus grands généraux. Il est vrai que, petit-neveu d'Auguste, arrière-arrière-petit neveu de Jules César et fils du grand Germanicus, Caligula bénéficia très tôt d'un immense prestige lié à ses illustres ascendants.

À son arrivée au pouvoir en 37, il succéda au sinistre Tibère, et les Romains se réjouirent d'avoir un jeune prince dont le comportement et le caractère laissèrent penser à un retour de l'âge d'or. Le peuple aimait beaucoup ce jeune homme intelligent et pondéré qu'on considéra comme un nouveau Romulus et que la foule appela affectueusement son « nourrisson ».

Un prestige et une popularité qui n'allèrent pas tarder à s'émousser considérablement.

Si son père Germanicus eut une renommée immense en raison de sa personnalité et de ses nombreuses qualités qui en firent un personnage hors du commun, Caligula n'avait visiblement pas hérité du caractère paternel. Son règne, qui n'allait durer que trois ans et demi, fut très rapidement marqué par un événement qui allait considérablement ternir sa réputation.

Quelques mois seulement après son avènement, Caligula tomba gravement malade et l'on craignit pour sa vie. À l'annonce de son mauvais état de santé, l'émotion gagna Rome, et des foules s'amassèrent autour du Palatin pour y proclamer leurs vœux de prompt rétablissement. À cette occasion, portés par l'enthousiasme populaire, ou par le désir calculé de se mettre en avant, certains proclamèrent fort imprudemment qu'ils étaient prêts à offrir leur vie pour sauver celle du prince.

Au soulagement général, Caligula se rétablit, mais, comme on lui avait rapporté les vœux généreux de certains plébéiens, il trouva légitime de leur faire respecter leur promesse.

Puisqu'il était en vie grâce à leur sacrifice virtuel, il convenait donc de ne pas offenser les dieux en leur en faisant payer le prix. Pour célébrer sa guérison, on organisa des rites religieux de purification dans lesquels les malheureux plébéiens ayant tenu ces serments furent coiffés de la couronne de verveine des victimes, ornés des bandelettes du sacrifice et cérémonieusement jetés du haut de la roche Tarpéienne[3].

Ce fut la première manifestation publique de la démence sanguinaire de Caligula, dont le comportement va dès lors changer radicalement. Valeureux, équitable et sociable, il devint brusquement tout le contraire. Un changement tel que nombreux verront dans cette mystérieuse maladie un étrange épisode pathologique responsable de sa folie soudaine.

En quelques jours, le jeune prince aimé de son peuple était devenu un empereur fou. Son apparence elle-même était altérée. Sénèque en dressa d'ailleurs un portrait assez peu flatteur :

« Si grand était le dégoût qu'inspirait sa pâleur attestant la folie, si grande la sauvagerie de ses yeux cachés sous un front de vieille femme, si grande la laideur d'une tête pelée […]. Ajoutez-y une nuque envahie de poils, la maigreur des jambes et la grandeur anormale de ses pieds[4]. »

Cette description tranche singulièrement avec d'autres descriptions présentant Caligula avant sa maladie. L'altération aurait donc été aussi bien psychologique que physique, symptôme d'une profonde aliénation mentale. Il est cependant bien délicat de se prononcer sur la pathologie d'un empereur romain ayant vécu au premier siècle de notre ère, et le témoignage de ses contemporains ne semble pas être d'une grande aide. Ainsi, si l'on en croit Suétone, Caligula serait réellement devenu fou après avoir absorbé un philtre d'amour concocté par sa femme Caesonia[5]. Il est vrai que leur relation était déjà quelque peu singulière. Il aimait, par exemple, caresser et presser avec amour la gorge soyeuse de sa délicieuse épouse, mais alors, il ne pouvait s'empêcher d'être tiraillé entre le doux plaisir de l'étreinte amoureuse et le plaisir plus doux encore de faire trancher ce cou soyeux et blanc. Seule l'idée qu'il ne pourrait jouir qu'une seule fois de cette satisfaction sembla dissuader l'empereur de s'y adonner. Aussi, quand ses lèvres impériales venaient se poser sur le cou de sa bien-aimée, il ne manquait jamais d'ajouter ce qui peut difficilement être pris comme un compliment : « Une si jolie nuque sera tranchée dès que j'en donnerai l'ordre[6] ! »

Plus tard, on parla d'épilepsie, d'encéphalite, de syphilis ou encore d'hyperthyroïdie. En réalité, la seule pathologie évidente est une profonde psychopathie qui s'exprima par un comportement de plus en plus dément.

Peu de temps après, Tibère le Jeune, un cousin germain pour lequel il eut toujours beaucoup d'affection, fit les frais de ce changement de personnalité et fut égorgé sous quelque fallacieux prétexte. Bien sûr, on commença à murmurer dans son entourage, mais on tenait trop à sa vie pour oser s'exprimer autrement que par ces chuchotements, où à l'incompréhension se mêlait déjà la peur. Quelque chose venait soudain de révéler la nature cruelle et vicieuse de l'empereur, l'avènement d'une monstruosité qui sommeillait et se réveillait chez l'homme déchu s'adonnant enfin et sans frein à ses penchants les plus sordides. Flavius Josèphe rapporta que « Caligula s'imagina être un dieu en raison de l'immensité de son empire[7] » et, en effet, le pouvoir détenu par l'empereur était tel qu'il était véritablement une sorte de « maître du monde » ne connaissant aucune limite.

Dès lors, son goût pour la démesure et son besoin de jouissances basses et vulgaires n'eut plus de bornes. La nuit, coiffé d'une perruque et enveloppé de vêtements amples et traînant par terre, le maître de Rome visitait les cabarets borgnes et les lieux de débauche de la cité. À cette occasion, Caligula se mit à multiplier les aventures, la plupart hétérosexuelles. Cependant, on lui prêta également des relations avec son beau-frère ainsi qu'avec des sénateurs. Dans la Rome antique, l'homosexualité était tolérée, mais à condition d'y jouer un rôle bien précis. Et seule la passivité était considérée comme infamante. L'empereur se mit à prendre un malin plaisir à déshonorer un à un plusieurs sénateurs qui durent être exclus de l'ordre sénatorial. De la même façon, il entreprit d'humilier de nombreux patriciens en jouissant ouvertement de leurs femmes : « La plupart du temps, il invitait des femmes de condition illustre avec leurs maris, puis, lorsqu'elles passaient devant lui, il les examinait attentivement, avec lenteur, à la façon des marchands d'esclaves, en leur relevant la tête avec la main, si elles la baissaient par pudeur ; ensuite, il sortait de la salle à manger autant de fois qu'il lui plaisait, emmenant celle qui avait ses préférences, et quand il revenait, quelque temps après, avec les marques toutes récentes de la débauche, il louait ou critiquait ouvertement, point par point, ce qu'il avait trouvé agréable ou défectueux dans la personne de chacune et dans ses rapports avec lui[8]. »

Plus grave, Caligula poussa le vice jusqu'à avoir des relations incestueuses avec ses trois sœurs. Parce qu'il vouait une énorme admiration à l'Égypte et au culte isiaque, il voulut imiter l'aristocratie égyptienne, dont les princes avaient coutume d'épouser leurs sœurs.

Cléopâtre n'avait-elle pas été la femme de deux de ses propres frères ?

L'empereur romain trouva même une justification à ses débordements dans la mythologie gréco-romaine, abondante en liens incestueux, comme le remarque Dion

Cassius : « Il feignait aussi d'être Jupiter et se vantait, par suite de cela, d'avoir des relations avec un grand nombre de femmes et principalement avec ses sœurs[9]. » De ses trois sœurs, il fit des débauchées. Drusilla, qu'il déflora, mourut, et il la fit honorer comme une déesse. Les deux autres, il les prostitua et les offrit à ses plus vils serviteurs.

Mais il convient de ne pas s'attendrir trop longtemps sur ces scènes intimes de vie familiale. Si Caligula resta à la postérité, ce fut surtout par l'étendue de sa folie et la grandeur monstrueuse de ses crimes : « Le fou qu'il nous est donné de regarder vivre disposant de la plus complète liberté, il en résulte un répertoire d'insanités, une liste d'atrocités encore inédites comme si le ciel avait voulu mettre une fois la nature de l'homme à l'épreuve, en l'abandonnant à elle-même sans que rien limitât ses desseins, pour montrer jusqu'où elle peut aller dans l'horreur[10]. »

Le jour, Caligula le consacrait aux jeux du cirque pour s'étourdir de cette « fête qu'assaisonne et parfume le sang[11] » en assistant aux tortures et aux exécutions qui y étaient données. L'empereur y fit combattre plus de 20 000 gladiateurs[12] pour le simple plaisir que lui procurait la mort des combattants aptes à se faire égorger avec élégance, goûtant particulièrement celle des rétiaires, dont l'absence de casque à visière permettait de mieux apprécier les affres de l'agonie.

Hélas, les professionnels ne suffisant bientôt plus à satisfaire ses désirs, Caligula fit envoyer des amateurs s'entretuer dans l'arène et des criminels de droit commun se faire dévorer par les bêtes.

Ainsi, quand, un jour, Rome vint à manquer de bétail pour nourrir les fauves des arènes, il fit ouvrir les prisons et désigna, par fantaisie, tous les prisonniers chauves qui furent livrés aux bêtes. Certains de ces malheureux n'étaient détenus que dans l'attente de leur procès au sujet duquel ils n'encouraient qu'une peine légère. Mais peu importait à Caligula, dont le goût du sang était de plus en plus prononcé, faisant ainsi dégénérer aux yeux des connaisseurs chagrinés le spectacle populaire et raffiné de la gladiature en un déplorable bain de sang. Mais peu importait à l'empereur qui ne pouvait être satisfait que par la quantité du sang versé.

Une véritable frénésie paroxystique le poussait inexorablement à commettre des actes de plus en plus terribles.

C'est ainsi qu'il se mit à pimenter ses festins d'atroces barbaries sans lesquelles ces réjouissances lui auraient paru trop fades. Il ne pouvait déjeuner sans agrémenter son repas du spectacle de l'exécution de victimes qui devaient être exécutées dans les salles de banquet.

Ce qui ne manquait jamais de mettre l'empereur en appétit et en joie, applaudissant sans réserve les bourreaux impériaux, de véritables artistes assez habiles pour décapiter un homme d'un seul coup d'épée.

Cependant, quand cela était possible, l'empereur aimait faire mourir lentement ses victimes, recommandant au bourreau de frapper de telle manière, à petits coups multipliés, que le condamné prît grandement conscience de son lent et douloureux trépas : « Frappe-le de telle façon qu'il se sente mourir[13]. »

Les réceptions de l'empereur étaient peut-être réussies, mais elles n'étaient pas non plus sans risque pour les convives. Au cours d'un brillant festin, comme des consuls lui demandaient avec douceur ce qui le faisait soudainement rire aux éclats, l'empereur répondit : « C'est tout simplement à la pensée que d'un signe de tête je puis vous faire égorger tous deux à l'instant[14]. »

La frivolité qu'il mêlait à ses crimes les plus inhumains et la futilité de ses mobiles meurtriers le rendaient particulièrement dangereux : personne au palais ne pouvait plus se sentir à l'abri. Ce qui finit par pousser sa grand-mère à lui faire de prudentes et mesurées remontrances. En vain, les liens familiaux s'étant définitivement estompés devant sa toute-puissance : « Souvenez-vous que j'ai tout pouvoir et sur tout le monde[15]. »

La majesté de sa fonction qui portait l'empereur au-delà des vapeurs terrestres s'affirma alors dans une multiplicité d'actions insensées qui furent autant de témoignages d'une démence sporadique s'invétérant et se fortifiant avec l'exercice de ce pouvoir.

Il ordonna un jour d'immenses préparatifs militaires sans rien dévoiler à ses généraux de ses intentions ni de sa stratégie. À la vue de tels préparatifs, on s'attendait à l'invasion d'un pays frontalier, à l'extension de l'Empire romain, mais l'empereur se contenta de mettre son armée en bataille sur le rivage de l'Océan : « Tout à coup, il ordonna qu'on ramassât des coquillages, qu'on en remplît les casques et les poches.

C'était, disait-il, les dépouilles de l'Océan ; elles étaient dues au Capitole et au Palatin[16]. » Les coquillages ramassés, l'empereur ordonna la dissolution de l'armée. La campagne militaire était terminée. Cela n'était pas sans faire penser à Xerxès, ce roi perse qui fit fouetter l'océan par ses soldats en punition d'une tempête lui ayant fait perdre une bataille. Mais l'acte, sublime et poétique, du « Grand Roi » n'était plus que ridicule et saugrenu chez l'empereur romain.

Aussi, se rendant compte qu'il ne pourrait jamais être un grand homme de guerre, jaloux du passé, Caligula fit abattre les statues de tous les hommes illustres, songeant même à détruire les poèmes d'Homère et à faire disparaître toutes traces de Virgile. Les héros de l'Antiquité disparus, personne ne lui aurait été supérieur.

Fort heureusement, ce projet fut vite oublié devant certaines distractions qui pouvaient vite devenir prioritaires sur toutes les autres affaires de l'État.

Ainsi, Caligula était un fou de danse et dansait à tout moment. Cette fantaisie, peu dispendieuse et assez innocente, était sans danger pour ses proches, mais on ne pouvait jamais être complètement serein avec un personnage dont l'humeur était aussi imprévisible. Aussi, lorsqu'une nuit il fit réveiller trois personnages consulaires qui furent convoqués en toute hâte au palais, ceux-ci crurent que leur dernière heure avait sonné.

Une fois qu'ils furent arrivés, on les fit attendre en les installant confortablement. De telles prévenances avaient tout pour inquiéter les consuls, peu habitués à ce genre d'égards. Ils s'interrogeaient sur une éventuelle urgence politique à régler, une révolte qui aurait couvé, un complot à l'œuvre, une rébellion à mater au plus vite. Pire, il se pourrait qu'ils aient déplu à l'empereur. Mettant un terme à leurs tourments, Caligula, drapé dans un magnifique manteau, parut soudain. Sans même un regard pour les consuls tremblants de peur, il se mit à danser et chanter… avant de s'éclipser comme il était venu. L'empereur avait juste voulu leur montrer un nouveau pas de danse[17].

Fantaisie bien innocente en regard de son comportement dont les excès se faisaient de plus en plus sentir sur son gouvernement. Ivre de jouissance et sous prétexte « qu'il fallait être économe ou vivre en césar[18] », Caligula se mit à dépenser sans compter : bains dans des essences de parfum, mets fabuleux, absorption de perles dissoutes dans du vinaigre…

Ses prodigalités surpassèrent tout ce que l'on avait imaginé avant lui. Il fit pleuvoir pendant plusieurs jours des pièces d'or du sommet des édifices les plus hauts de Rome, entama des constructions pharaoniques pour la simple raison qu'on les disait irréalisables, fit niveler des montagnes par simple désir de commander les ingénieurs et d'étonner son peuple.

Cette prodigieuse dissipation des biens lui fit dépenser en moins d'une année le trésor public patiemment accumulé par son prédécesseur. Le fabuleux trésor de Tibère, qui s'élevait à 2,7 milliards de sesterces, s'était évaporé en pures vanités.

Cela n'affligea pas outre mesure Caligula qui avait déjà imaginé une façon originale de remplir à nouveau les caisses de l'Empire : il ordonna de transformer le palais impérial en un immense lupanar afin d'y prostituer les femmes, les filles et les jeunes garçons de la noblesse romaine aux patriciens et aux vieillards fortunés. Les tarifs étant élevés, des prêts à des taux usuraires furent même consentis aux clients qui étaient directement débiteurs de l'empereur, devenu maquereau et usurier.

L'ère de la prodigalité étant définitivement révolue, Caligula se mit à développer une rapacité particulièrement sordide, même si certains témoignages de la cupidité impériale peuvent prêter à sourire.

Un jour, alors qu'il avait coutume par économie de faire vendre aux enchères tout ce qui restait des spectacles,

Caligula avait repéré dans les gradins un vieux patricien qui s'était endormi en dodelinant du chef. L'empereur dit au crieur de tenir compte des hochements de tête, et le malheureux se retrouva très vite propriétaire d'une douzaine de gladiateurs pour la somme colossale de neuf millions de sesterces[19].

Ce genre de stratagème étant insuffisant, Caligula commença également à se faire une solide réputation dans la captation d'héritage, faisant notamment casser les testaments où on l'avait injustement oublié, ou envoyant des friandises empoisonnées aux testateurs qui avaient eu la délicatesse de penser à lui, mais la maladresse de tarder à mourir.

Un heureux événement lui permit d'imposer des taxes plus lourdes sur l'Empire : la naissance d'une fille. Tout à son bonheur d'être père, Caligula n'oublia pas de demander aussitôt à son peuple de l'aide pour l'éducation et la dot de celle qui reçut le nom de la sœur défunte tant aimée, Julia Drusilla.

Bien que la mère, sa quatrième femme, fût d'une « impudente lubricité », Caligula n'eut aucun mal à reconnaître son enfant pour légitime. Mauvais sang ne saurait mentir : la petite fille attaquait le visage de ses petites camarades de jeux en s'efforçant, assez peu innocemment, de leur crever les yeux avec ses doigts furieux[20]. Une telle férocité ne pouvait venir que de lui.

Tel père, telle fille.

Mais l'empereur n'eut guère l'occasion de voir grandir le charmant petit monstre. Sa tyrannie, sa sexualité débridée et son désir d'être considéré comme un dieu en firent rapidement un empereur détesté de son peuple. Après trois ans et demi de règne, alors qu'il avait 28 ans, il y eut une conjuration destinée à débarrasser Rome du tyran et il fut brutalement assassiné par les soldats de sa garde qui lui transpercèrent la poitrine de leur glaive avant de le retirer pour l'enfoncer dans ses parties honteuses.

Ainsi mourut l'homme qui voulut être Dieu.

« Qu'ils me haïssent,
pourvu qu'ils me craignent ! »
CALIGULA

1 Par commodité, on retiendra les noms de Caligula, de Néron et d'Héliogabale, plutôt que leurs noms originels qui furent abandonnés au profit de leur surnom et de leur nom d'empereur.

2 Suétone, *Vie des douze césars*, vol. II, Les Belles Lettres, 1932, p. 67.

3 Daniel Nony, *Caligula*, Fayard, 1986, p. 253-254.

4 Sénèque, *De la constance du sage* (dialogues, t. IV), Paris, Les Belles Lettres, 1927.

5 Suétone, *Vie des douze césars*, op. cit., p. 100.

6 Ibid., p. 88.

7 Flavius Josèphe, *Antiquités judaïques*, XVIII, 256.

8 Suétone, *Vie des douze césars*, op. cit., p. 90.

9 Dion Cassius, *Histoire romaine*, Les Belles Lettres, 1995, LIX, 26.

10 Marcel Jouhandeau, Préface de Suétone, *Vie des douze césars*, Paris, Le livre de poche, 1961, p. V.

11 Charles Baudelaire, « Voyage », *Les Fleurs du mal*, Gallimard, 1999.
   Le bourreau qui jouit, le martyr qui sanglote ;
   La fête qu'assaisonne et parfume le sang ;
   Le poison du pouvoir énervant le despote,
   Et le peuple amoureux du fouet abrutissant.

12 D. Nony, *Caligula*, op. cit., p. 269.

13 Suétone, *Vie des douze césars*, op. cit., p. 85.

14 Ibid., p. 87.

15 Ibid., p. 85.

16 Ibid., p. 98.

17 Ibid., p. 103.

18 Ibid., p. 91.

19 D. Nony, *Caligula*, op. cit., p. 363.

20 Suétone, *Vie des douze césars*, op. cit., p. 81.

Néron, les sentiments filiaux d'un matricide

Ils étaient tous les deux empereurs, tous les deux monstrueux, et c'est à juste titre qu'il est courant de rapprocher « Néron qui fut la copie très fidèle de son oncle Caligula[1] ». D'ailleurs, c'est un acte dément qui valut au neveu l'égale réputation d'un empereur fou et il est difficile de ne pas en conserver l'image de l'empereur halluciné jouant de la harpe du haut de son palais et contemplant l'incendie gigantesque qui ravagea les quartiers de Rome.

Pourtant, de tous les crimes qui lui furent imputés, ce fut probablement le seul dont il fut réellement innocent.

On sait maintenant que Néron n'avait rien du prince pyromane que l'histoire a retenu et qu'il n'était pas à l'origine de cet incendie. Quand l'incendie prit naissance dans les boutiques gorgées de marchandises inflammables, Néron se trouvait en villégiature dans une station balnéaire de la baie de Naples.

En revanche, cela ne l'innocente nullement des autres accusations le montrant comme un monstre criminel, un fou sanguinaire mettant à mort les siens, un « ennemi de l'espèce humaine » envers qui la postérité n'a guère été indulgente.

Pourtant, le jeune Néron bénéficia dans sa jeunesse de l'éducation d'un des plus prestigieux philosophes de son temps : Sénèque. Comme Alexandre le Grand élève d'Aristote, le jeune Néron reçut la meilleure des formations auprès des plus grands maîtres. Avec une telle éducation, on aurait pu imaginer que l'âge adulte aurait vu l'avènement d'une sorte de roi-philosophe se distinguant par sa sagesse et ses qualités morales, comme le fera plus tard l'empereur stoïcien Marc-Aurèle.

Cependant, Sénèque lui enseigna également la rhétorique moderne et la politologie, autrement dit l'art de mentir, de dissimuler et de manipuler. Enfant à l'hérédité difficile, malheureux, car privé d'affection, le jeune Néron apprit très vite à utiliser le mensonge comme un moyen d'arracher à ses proches un peu de tendresse :

« Sa frustration affective, ses refoulements, son agressivité rentrée vont accélérer son apprentissage de la duplicité, de la méfiance, de la ruse. Devant cacher ses véritables sentiments, il devient sournois[2]. »

En fait, tout était bon pour attirer l'attention de sa mère, la belle et redoutable Agrippine.

En vain.

Possédée d'une ambition démesurée, seules comptaient pour elle son élévation dans la hiérarchie sociale et sa place au sommet du pouvoir. Après avoir été la sœur et l'amante d'un empereur, Caligula (peut-être père naturel et incestueux de Néron), Agrippine voulait être l'épouse, puis la mère du maître de Rome. Pour cela, elle devait épouser Claude, l'empereur qui avait succédé à son frère, et lui faire adopter Néron afin de lui assurer la succession de l'Empire. Messaline, troisième épouse de l'empereur, venant fort opportunément de se suicider, Agrippine réussit à se faire épouser à son tour par Claude[3].

Néron y gagna un beau-père empereur, ainsi qu'un demi-frère, Britannicus, et une demi-sœur, Octavie. Et pour affermir ces nouveaux liens familiaux, sa mère attentionnée et prévoyante décida de fiancer Néron, alors âgé de 12 ans, avec Octavie, qui en avait 3 de moins. Néron fut alors à la fois le beau-fils et le gendre de l'empereur et, de cette manière, sa prétention au trône égalait celle de Britannicus, fils et successeur de Claude. Un an plus

tard, l'empereur adopta solennellement celui qui s'appelait désormais Néro Claudius César Drusus Germanicus.

Alors, pendant qu'Agrippine s'efforçait d'évincer lentement le timide Britannicus, Néron, inconscient des efforts que sa mère déployait pour lui assurer un avenir radieux, s'adonna tout entier à la débauche. Protégé par son nouveau statut, il put désormais laisser aller sa nature aux plus grandes débauches : femmes, vin, rixes… Il courait, de nuit, à travers Rome, hantant les tavernes les plus sordides où, entouré de prostituées et d'invertis, il prolongeait ses festins jusqu'à l'aube, prenant plaisir à voir se dégrader de hauts personnages dont il avait fait ses compagnons de beuverie. Puis, sous un déguisement d'esclave, il se livrait à des agressions gratuites et impunies avec une bande de sbires à sa solde. Ce qui faillit lui coûter la vie, si l'on en croit Suétone :

« Après la tombée de la nuit, ayant saisi un bonnet ou une casquette, il pénétrait dans les cabarets, vagabondait dans les divers quartiers, faisant des folies, qui d'ailleurs n'étaient pas inoffensives, car elles consistaient d'ordinaire à frapper les gens qui revenaient d'un dîner, à les blesser, à les jeter dans les égouts, s'ils résistaient, et même à briser les portes des boutiques et à piller ; il installa dans son palais une cantine, où l'on dissipait le produit du butin, qu'il dispersait aux enchères. Souvent, dans les rixes de ce genre, il risqua de perdre les yeux ou même la vie, et certain [chevalier] de l'ordre sénatorial, dont il avait pris la femme entre ses bras, faillit le faire mourir de coups[4]. »

Pendant que l'ancien disciple de Sénèque se muait en un incurable licencieux, Agrippine continuait d'œuvrer dans l'ombre. Afin d'assurer les avantages acquis, elle devait s'efforcer d'agir vite. Elle n'ignorait pas que nombre de gens à la cour avaient démasqué son jeu et que pouvait survenir à tout instant une nouvelle arriviste désireuse de la supplanter auprès de Claude.

Aussi, pour se prémunir d'un tel malheur, elle organisa pour son époux un dîner somptueux pendant lequel il lui fit servir des champignons, son plat préféré. Le plat de cèpes avait été préparé par Locuste.

Cette célèbre empoisonneuse possédait un talent très apprécié, celui d'être capable de doser des potions qui ne réagissaient que tièdes, après la dégustation du goûteur et contenaient un poison redoutable provoquant d'abord des troubles mentaux et ensuite la mort.

La belle vie insouciante de Néron dura donc jusqu'à ce jour du 13 octobre 54, où Agrippine se précipita pour lui annoncer la mort de son empereur de mari.

Grâce à la prévoyance maternelle, Néron allait pouvoir être proclamé imperator.

Comme il n'avait que 17 ans, il s'empressa de laisser à « la meilleure des mères[5] » la haute direction de toutes les affaires privées et publiques, se contentant de déclarer son intention de gouverner avec générosité et clémence. Et effectivement, il commença par ordonner une série de mesures particulièrement populaires, donnant un grand nombre de spectacles, faisant diminuer les impôts et organisant la distribution au peuple de 400 sesterces par tête.

Agrippine atteignait alors sa quarantième année. Jusqu'alors, elle avait consacré toute son existence à un seul but : assurer, à travers toutes les vicissitudes, le trône à son fils Néron. Après avoir supprimé Claude, elle devenait la véritable maîtresse de Rome.

C'était donc avec un certain bonheur qu'elle s'acquitta volontiers « de tous les devoirs du gouvernement[6] ». Son influence était telle que l'on a parfois appelé cette période le « gouvernement Agrippine ».

Ce qui donna tout le loisir à Néron de laisser à nouveau s'exprimer sa mauvaise nature.

Il y eut d'abord l'échec de son mariage avec Octavie. Délaissée, faussement accusée d'adultère, elle fut mise à l'écart et exilée. Cette première et décevante expérience matrimoniale fut suivie de deux autres mariages sur fond de meurtre et d'adultère, notamment avec une femme d'une rare beauté, une riche Pompéienne, Poppée, qui sera la grande passion de sa vie. Pline l'Ancien rapporta[7] qu'elle emmenait partout 500 ânesses laitières afin de se plonger chaque jour dans un bain de lait qui lui assouplissait la peau. Mais, à mesure que l'intimité entre Néron et l'ambitieuse Poppée s'amplifiait, les âpres disputes entre la mère et le fils augmentaient en intensité, Agrippine ne pouvant tolérer qu'Octavie fût évincée et poussée au divorce par l'ambitieuse favorite. En outre, Néron, ce brillant adolescent acclamé « prince de la jeunesse », se sentait de plus en plus écrasé par une mère qui ne l'avait porté au pouvoir que pour servir ses propres ambitions. Aussi, bien que redoutant les foudres maternelles, Néron chargea un tiers de séduire pour lui Poppée et de l'enlever à son mari Othon. Puis, fermement décidé à faire place nette, il tenta d'étrangler Octavie.

En vain. Finalement, affirmant qu'elle était stérile, il réussit à divorcer et donna l'ordre, pour plus de sécurité, de la condamner à mort pour adultère. La malheureuse n'avait pas encore atteint sa vingtième année. Ses meurtriers lui ouvrirent les veines. Le sang ne s'écoulant pas, on l'étouffa dans un bain de vapeur.

Néron était désormais libre de folâtrer avec Poppée. Sa mère Agrippine était mise devant le fait accompli, et, Octavie ayant été éliminée, il lui fallait bien se résoudre à accepter sa nouvelle belle-fille malgré la haine qu'elle lui vouait. Une seule femme pouvait dominer Néron, et ce rôle revenait tout naturellement à sa mère.

Cependant, l'union avec Poppée ne sera guère plus heureuse puisqu'elle se terminera, comme bien d'autres, dans la violence et le sang, Néron finissant par la tuer d'un coup de pied dans le ventre alors qu'elle était enceinte.

Agrippine pouvait être rassurée : elle retrouvait toute son influence sur son fils.

Ce fils qui, décidément peu heureux en ménage, trouva dès lors à assouvir sa faim de plaisirs par des repas pantagruéliques dans lesquels s'exprimait pleinement un raffinement des plus coûteux. Néron faisait par exemple venir à grands frais de la neige des montagnes pour le bonheur tout simple de boire de l'eau glacée.

Les premières années de son règne se passèrent ainsi en banquets insensés, folles beuveries et bacchanales. Libéré des obligations de gouverner, Néron n'avait pour seule obsession que celle de repousser toujours plus loin les limites du possible dans le domaine de la jouissance. Cependant, cette débauche sans retenue ne se limita pas seulement à son admiration du faste et de la magnificence à travers un gaspillage effréné. Ses débordements n'eurent plus de limites, exposant ses vices aux yeux de tous : « Entendant fréquemment des acclamations flatteuses, il cessa de ménager sa propre dignité, il se livra à des excès d'abord dans le palais au milieu de ses familiers, puis il s'y livra en public de sorte qu'il couvrit de honte le peuple romain tout entier[8]. »

Néron commença par montrer aux yeux des Romains éblouis l'accouplement monstrueux d'un taureau et de Pasiphaé, une femme dissimulée de force dans une vache de bois. La chute du malheureux Icare ne fut pas oubliée dans cette soigneuse et scrupuleuse reconstitution historique.

Rien n'était trop beau, trop cher et assez original pour s'attirer les bonnes grâces d'un peuple avide de curiosités inédites et de sensations fortes. Il n'hésita pas un jour à descendre dans l'arène pour combattre un lion… spécialement et discrètement « préparé » pour être inoffensif. Par ailleurs, poète érudit, raffiné et passionné, l'empereur aimait également faire entendre sa voix, dont le public appréciait d'autant mieux l'harmonie qu'il lui était interdit de quitter le théâtre sous peine de représailles.

Cela pouvait durer tellement longtemps qu'on raconta que des femmes enceintes donnèrent naissance à leur enfant sur les gradins, au son de la voix de Néron.

Sachant que le retrait des convenances et des contingences matérielles était la caractéristique des plus grands artistes, Néron se mit à dépenser sans compter pour organiser les plus folles extravagances.

Ainsi, alors qu'il appréciait particulièrement les véhicules de prestige (comme beaucoup de dictateurs), il prit un soin particulier à se faire remarquer dans ce domaine. En l'occurrence, des hippomobiles de luxe qu'il avait importées spécialement de Gaule. Extrêmement rares, puisqu'il s'agissait de juments hermaphrodites attelées à son char qui lui permettait de montrer « le maître du monde traîné par des monstres[9] ».

Pourtant, s'il y avait bien un monstre dans ce spectacle, c'était assurément l'empereur, dont les autres manifestations de sa puissance se firent plus cruelles.

Ainsi, Suétone nous raconte qu'il fit émasculer un enfant nommé Sporus, l'épousa en public et s'en faisait accompagner partout en le couvrant de baisers. À l'instar de son ancêtre César qui passait pour « le mari de toutes les femmes et la femme de tous les maris[10] », l'empereur joua également le rôle de l'épouse auprès de certains amis. Néron aimait aussi se livrer à d'autres jeux, comme de se vêtir d'une peau de bête féroce et de s'élancer d'une cage sur les parties sexuelles d'hommes et de femmes liés à un poteau, célébrant peut-être ainsi une sorte de mariage mystique, cérémonie d'initiation à la religion des mystères, au culte mithriaque[11].

Puis, « après avoir assouvi sa lubricité, il se livrait, pour finir, à son affranchi Doryphore » dont il se fit même épouser en allant jusqu'à « imiter les cris et les gémissements des vierges auxquelles on fait violence[12] ».

Cependant, Néron ne s'en tint pas à ces unions.

Il eut également commerce avec de nombreuses femmes, allant même jusqu'à violer une vestale. On l'accusa d'avoir eu des relations incestueuses avec sa propre mère, Agrippine, qui aurait vu là l'occasion d'affermir sa domination sur cet être influençable[13]. Cela semble cependant fort improbable, d'autant plus qu'il s'étonnera plus tard de la beauté de sa mère en découvrant, apparemment pour la première fois, son corps dénudé. Il n'y eut donc qu'un prélude à l'inceste, mais Néron n'en fut pas moins sensible toute sa vie aux charmes redoutables de sa mère.

Cependant, depuis la mort d'Octavie, la belle entente entre la mère et son fils n'était plus. Lorsqu'il cherchait à s'exprimer, sa mère, possessive et envahissante, l'en empêchait. Alors, peu à peu, en secret, il se mit à la haïr. Cette mère, belle et hautaine, n'était plus qu'un être dont la seule vocation était, semble-t-il, de le persécuter et de le priver de l'amour dont il avait besoin : « Femme castratrice, Agrippine lui tient lieu de père tyrannique : c'est le complexe d'Œdipe renversé[14]. »

Néron devait chercher à se libérer du joug qu'Agrippine lui faisait subir.

Mais il y avait plus urgent.

Britannicus était toujours en vie. Sa présence constituait un perpétuel danger pour Néron. Surtout si Agrippine décidait de s'en servir contre lui. Sa mère occupant une position de force à Rome et jouissant d'un grand prestige, son influence était incontestable. Il ne pouvait donc se permettre de la voir s'allier au propre fils de l'empereur Claude.

Heureusement, en bon élève, Néron avait retenu les leçons de sa mère. Il invita donc le malheureux Britannicus à dîner. Comme pour son père, Locuste fut chargée de préparer le poison : « Un breuvage encore innocent, mais très chaud est servi, après essai, à Britannicus, puis, comme il le repoussait à cause de son extrême chaleur, on y verse, avec de l'eau fraîche, le poison qui se répandit dans tous ses membres avec une rapidité telle que la parole et la vie lui furent ravies à la fois[15]. »

Aux convives effrayés, Néron déclara avec calme que Britannicus venait de succomber à une de ces crises d'épilepsie dont il était coutumier depuis sa prime enfance.

Il ne vint naturellement à l'esprit de personne de contredire cette version des faits, surtout qu'on avait aisément reconnu la main experte de Locuste, la grande empoisonneuse. La même nuit, Britannicus fut enseveli en hâte, sans pompe et sous une pluie battante. « Quant à Locuste, pour prix de ses services, il lui donna l'impunité, de vastes domaines, et même des élèves[16]. »

Lorsqu'elle apprit ces faits, Agrippine fut aussitôt paralysée par la peur. Elle venait de comprendre qu'un jour son fils la supprimerait avec le même calme et le même sang-froid. La chose était d'autant plus évidente que depuis quelque temps son fils s'était efforcé à plusieurs reprises de l'affaiblir, essayant de la priver d'argent et de contacts.

Elle commençait à découvrir le revers de la médaille.

D'ailleurs, alors que, sur certaines pièces frappées à Rome, la face la plus importante, l'avers, lui avait été consacrée, elle remarqua leur disparition au profit d'une nouvelle monnaie où la « déesse Agrippine » avait laissé la place au « dieu Néron ».

Ce qui ne présageait assurément rien de bon.

Sa domination commençait à perdre en puissance. Surtout que, pour lutter contre sa mère, Néron s'appuyait sur son mentor Sénèque, dont la personnalité brillante et séduisante pouvait s'accompagner de conseils politiques redoutables, aptes à maîtriser les intrigues qu'impose la politique de cour : « Le sage fera même des choses qu'il n'approuvera pas pour s'assurer les acquis les plus importants, il n'abandonnera pas les bonnes mœurs, mais les adaptera aux circonstances ; les choses que les autres emploient en vue de la gloire ou du plaisir, il les utilisera pour un noble but[17]. »

Autrement dit, la fin justifiait les moyens.

Aussi, sur les conseils de Sénèque, Néron refusa à Agrippine qu'elle vînt siéger à ses côtés sur l'estrade impériale lorsqu'il reçut les ambassadeurs d'Arménie. Pire, elle fut reléguée dans un palais isolé, sans gardes du corps ni amis. On l'accusa ensuite d'avoir comploté contre l'empereur. Elle réussit à sauver sa vie, mais elle savait désormais que ce n'était qu'une étape vers la tragédie finale.

Un an après l'accession au principat de son fils, Agrippine n'avait plus aucun pouvoir. Peu de temps après parvinrent à Néron des rumeurs qui le plongèrent dans une terrible angoisse : sa mère fomenterait une révolution contre lui.

N'en pouvant plus, il décida qu'il était temps de prendre des mesures définitives. Il organisa pour elle un séjour au bord de la mer et l'invita à venir le rejoindre à Baïes, une station balnéaire huppée en Campanie, sous le prétexte de célébrer les fêtes de Minerve.

Néron s'était enfin résolu à passer à l'action.

En bon Romain, il avait naturellement pensé au poison. Une technique qui avait fait ses preuves, Agrippine l'ayant elle-même utilisée contre Claude. Plusieurs tentatives eurent lieu, en toute discrétion, mais également en toute inefficacité. Sa mère, qui connaissait les avantages de ce genre de procédé, s'était apparemment prémunie en se mithridatisant, c'est-à-dire en en ingurgitant chaque jour de petites portions afin de rendre son corps plus résistant.

À moins que ce ne fût en suivant un régime quotidien à base d'antidotes…

Toujours est-il que le poison échoua.

Cependant, en bon fils persévérant, Néron avait fait concocter une potion plus puissante, dont plusieurs animaux firent les frais. Hélas, il eut beau modifier à plusieurs reprises le dosage et la nature du poison, sa mère résistait toujours, se portant plus que jamais à merveille.

Il lui fallut dès lors imaginer un plan plus subtil. Un plan qui supposait l'invention un peu baroque d'un faux plafond installé au-dessus du lit de sa mère. Un mécanisme invisible devait permettre de le faire s'effondrer de tout son poids pendant la nuit. Il y eut cependant une indiscrétion qui rendit le projet impossible à réaliser.

Il ne restait plus alors que l'opération Neptune, véritable raison de son invitation à la station balnéaire. Néron, dont on connaissait l'âme profondément artiste, conçut l'idée de construire une complexe machinerie, un navire destiné à s'autopulvériser, entraînant à jamais sa mère dans la profondeur des flots. Toute l'ingénuité de ce vaisseau truqué résidait en sa capacité à être détruit par la simple pression de quelques boutons. L'empereur le fit fabriquer par d'habiles et discrets menuisiers de sa marine et guetta une occasion d'offrir à sa mère une croisière insolite. Cependant, la faire monter à bord s'avéra difficile dans la mesure où Agrippine commençait à nourrir de légitimes soupçons sur les sentiments que lui portait son fils. Malgré cela, il parvint à endormir sa méfiance et à la faire s'embarquer sur le navire. L'empereur l'accompagna jusqu'à l'embarcadère, prit tendrement congé de sa mère et assista à son départ, le cœur plein d'inquiétude… quant au bon fonctionnement de son plan.

Hélas, si le vaisseau coula bel et bien, ce fut avant d'atteindre la haute mer.

Agrippine, qui manifestement nageait comme une sirène, parvint à rejoindre miraculeusement la côte. L'échec de la nouvelle tentative d'assassinat, celle du bateau saboté, plongea Néron dans une véritable panique : « Alors à demi mort de peur, il s'écrie qu'elle va bientôt arriver, prête à la vengeance, soit qu'elle armât ses esclaves ou soulevât les soldats, soit qu'elle se tournât vers le sénat et le peuple[18]. »

À bout de nerfs et de patience, il abandonna dès lors toute subtilité.

L'empereur fit courir le bruit que sa mère avait fomenté un complot contre lui visant à l'assassiner et ordonna qu'elle fût immédiatement exécutée.

La maison où sa mère se remettait de ses émotions fut cernée, les serviteurs, massacrés, et l'impériale Agrippine, tuée ce 20 mars de l'an 59. Au moment où l'impératrice aperçut l'épée brandie au-dessus de sa tête, elle aurait crié à l'assassin : « Frappe le ventre qui a mis Néron au monde ! »

Néron, désireux de s'assurer par lui-même de la disparition de cette redoutable mère, aurait alors, devant le cadavre dénudé d'Agrippine, laissé échapper ces mots : « Je ne savais pas que j'avais une mère si belle[19]. »

Après cela, cet empereur fou et sanguinaire, assassin de son demi-frère, de sa femme, de sa mère, de son précepteur et de nombreux proches, continuera à régner pendant une dizaine d'années, mais sera poursuivi par le remords de son matricide et « le fantôme de sa mère, par les fouets et les torches ardentes des Furies[20] ». Son obsession sera telle qu'il ne cessera d'interpréter à de nombreuses reprises la légende d'Oreste meurtrier de sa mère.

Il est d'ailleurs significatif que la dernière pièce jouée par Néron, quelques jours avant sa mort, fût *Œdipe à Colone*.

Se sachant condamné au suicide, il aura, tout en pleurant, ce mot qui restera attaché à son image : « Quel artiste va périr avec moi[21] ! »

Un artiste peut-être, mais un empereur sanguinaire, et surtout un mauvais fils.

> « *Avant moi, aucun souverain n'avait compris*
> *qu'il pouvait tout se permettre.* »
>
> Néron

1 Eutrope, *Abrégé d'histoire romaine*, VII, 9.
2 Eugen Cizek, *Néron*, Fayard, 1982, p. 32.
3 L'empereur Claude, étant le frère de Germanicus, père de Caligula et d'Agrippine, se trouvait donc être également son oncle paternel.
4 Suétone, *Vie des douze césars*, op. cit., p. 171.
5 Ibid., p. 157.
6 D. Cassius, *Histoire romaine*, op. cit., LXI, 3,2.
7 Pline l'Ancien, *Histoire naturelle*, Gallimard, 1999, XI, 96 et XXVIII, 50.
8 Ibid., LXI, 5,2.
9 Ibid., XI, 109.
10 Suétone, *Vie des douze césars*, op. cit., p. 37.
11 Mithra est une divinité indo-européenne très honorée à Rome à l'époque de Néron, et son culte à mystères était répandu de la Perse antique jusqu'à la Gaule romaine. On a retrouvé un sanctuaire dédié à Mithra à Angers, un mithraeum unique en France, mais qui fut rapidement rasé pour la construction de 14 places de parking.
12 Suétone, *Vie des douze césars*, op. cit., p. 174.
13 Tacite, *Annales*, XIV, 2.
14 E. Cizek, *Néron*, op. cit., p. 32.
15 Ibid., 13,16,3.
16 Suétone, *Vie des douze césars*, op. cit., p. 179.
17 Sénèque, *Fragments*, Hasse, XX.
18 Tacite, *Annales*, op. cit., 7,2.
19 D. Cassius, *Histoire romaine*, op. cit., LXI, 14,3.
20 Suétone, *Vie des douze césars*, op. cit., p.180.
21 Ibid., p. 196.

HÉLIOGABALE, l'empire dont le prince est un enfant

L e 16 mai 218, les soldats de la IIIe légion accla-
mèrent empereur un enfant de 14 ans. Il s'agissait
du jeune Varius, fils de l'empereur Caracalla qui venait
d'être assassiné. Le futur Héliogabale n'était en réalité
que son neveu, mais sa mère (Julia Soemias), sa tante
(Julia Mamaea) et sa grand-mère (Julia Maesa) parvinrent
à convaincre l'armée en exploitant une étonnante ressemblance physique du garçon avec l'empereur défunt.

Un adolescent d'une beauté peu commune.

La chevelure tournant vers le blond fauve, il avait des
sourcils épais, mais bien dessinés, ainsi que des cils plutôt
longs pour un jeune homme. Mais, le plus remarquable,
c'étaient ses yeux qu'il avait noirs et profonds. Sa beauté
d'éphèbe était encore plus éclatante quand, vêtu de
pourpre, il dansait avec des grâces féminines autour de
l'autel de son dieu : « Il était dans la fleur de son adolescence et dépassait en beauté tous les jeunes gens de son
âge. Et comme sa personne rassemblait la beauté physique,
la fleur de l'adolescence et le luxe vestimentaire, on
pouvait le comparer à telle ou telle statue de Dionysos.

Quand il accomplissait les rites sacrés et que, selon l'usage des Barbares, il dansait autour des autels au son des hautbois, des flûtes et de toutes sortes d'autres instruments, les soldats l'observaient avec plus d'attention que les autres spectateurs, car, à sa beauté qui attirait tous les regards, il joignait une origine impériale[1]. »

Une origine impériale douteuse, et l'on n'hésitait pas à murmurer que son surnom de Varius lui aurait été donné parce qu'il passait pour être le fruit de semences d'hommes « variés », comme on pouvait s'y attendre lorsqu'on était le fils d'une prostituée. Car c'est ainsi qu'on regardait sa mère Julia Soemias[2], connue pour se livrer à la cour à tous les genres de débauches. Mais, comme elle avait eu des rapports notoires avec l'empereur Caracalla[3], cela donnait à penser que ce Varius pouvait être son fils adultérin.

Ce que la redoutable triade féminine s'efforça de confirmer, faisant tout pour que se fixât définitivement dans les esprits la belle histoire d'un héritier à l'Empire. Et pour cela, on fit disparaître l'ambigu surnom de Varius pour le nom d'Héliogabale, ou Élagabal, en hommage au dieu solaire. Le jeune homme en était même le grand prêtre et honorait le dieu Soleil à Émèse[4], ville syrienne où la famille vivait en quelque sorte en exil.

Probablement nostalgiques de la vie de cour, les princesses syriennes, après avoir fait désigner Héliogabale comme empereur de Rome, s'empressèrent d'organiser leur grand retour vers la capitale de l'Empire.

Le jeune empereur voulut bien se rendre à Rome, mais uniquement à condition d'apporter son dieu avec un apparat convenant à son rang. Pressées de retrouver la splendeur d'antan, les femmes acceptèrent avec enthousiasme tout ce que voulait le garçon.

Peut-être ignoraient-elles qu'il leur faudrait un an à rejoindre la cité impériale.

C'est qu'il avait fallu charger la pierre sacrée, accompagnée de l'Aigle d'Émèse, sur un char également consacré, traîné par quatre chevaux richement harnachés, comme le quadrige du Soleil. La pierre avait été soigneusement coussinée, précieusement habillée et parée pour le voyage. Quatre parasols l'entouraient et lui faisaient une garde d'honneur. À leurs bords frangés pendaient

des pierreries qui, en s'agitant sous les rayons du jour, faisaient l'effet d'un vrai feu d'artifice. Et le jeune Héliogabale, ne pouvant s'empêcher de parader du haut de son char, transforma ce qui devait être un voyage hâtif en une splendide procession sacrée par laquelle le nouvel empereur présenta à tous les habitants des pays traversés le grand dieu d'Émèse.

À chaque étape, le jeune homme, vêtu de pourpre et d'or, un lourd collier au cou, des bracelets aux bras et aux poignets, et la tête coiffée d'une sorte de tiare où brillaient les gemmes et le métal jaune, dansait au son des flûtes et des tambourins, s'étourdissant aux acclamations de la foule.

Plus embêtant, il refusait obstinément de quitter ses robes de soie pour revêtir les lourds habits de laine en usage à Rome.

Jugeant la laine trop grossière pour ses mœurs raffinées, il lui préférait de légères et chatoyantes étoffes, dont les teintes colorées se mariaient à merveille avec les nombreux bijoux qu'il portait avec ostentation.

Irritée par cet entêtement qu'elle jugeait puéril et peu certaine de voir Rome accueillir avec beaucoup d'enthousiasme un étranger barbare efféminé, sa grand-mère le supplia de prendre la toge ou la cuirasse et de revêtir un costume romain.

En vain.

Le jeune homme s'opiniâtra dans ses choix vestimentaires. Pire, comme son tuteur, un eunuque qui servait d'amant à sa mère avant d'être châtré pour infidélité, se rangea du côté de sa grand-mère, Héliogabale piqua une colère, dégaina son glaive et en frappa son éducateur.

Celui-ci parvint à détourner le coup avec son épée, mais, en osant cela, il venait de commettre un crime de lèse-majesté qui ne put rester impuni. Les gardes prétoriens se précipitèrent aussitôt pour tuer le tuteur.

Devant cette tragédie, les princesses syriennes comprirent qu'elles perdaient définitivement tout ascendant sur le garçon. Rome serait la « ville dont le prince est un enfant », un enfant colérique et capricieux. Cependant, elles ne se doutèrent pas un instant que ce règne allait prendre une tournure bien plus déconcertante.

Une fois arrivé à Rome, où il pénétra en précédant un char surmonté d'un gigantesque phallus, il sembla se désintéresser complètement du pouvoir.

Cela ne pouvait que satisfaire les trois Julia, à qui il laissa le soin de s'occuper des affaires courantes de l'Empire pour ne s'intéresser qu'à ce qui pouvait flatter ses passions et étourdir ses sens.

Aussi, tout aurait été au mieux pour les princesses syriennes, si le petit empereur n'avait pas profité de son temps libre et de son pouvoir pour s'adonner aux pires libéralités et aux débauches les plus scandaleuses.

Ces femmes d'expérience n'ignoraient pas que le peuple romain, bien qu'habitué aux spectacles sanglants des arènes et aux turpitudes patriciennes, ne pourrait tolérer longtemps de telles extravagances.

> *« Le pouvoir absolu –*
> *vin terrible –*
> *au prince comme au paysan –*
> *Il enivre Héliogabale*
> *Comme il rend fou Mazaniel[5].*

Dans un premier temps, l'empereur ne voulut se consacrer qu'à son grand projet, officialiser le culte du dieu d'Émèse à Rome et placer son idole à la tête de tous les autres dieux officiels : « Il disait que tous les dieux étaient les serviteurs du sien : il lui en affectait certains comme valets de chambre, d'autres comme esclaves, d'autres comme préposés à telle ou telle fonction[6]. »

Non seulement il ne renonça pas à son culte, mais il imposa très vite à sa cour de se prosterner tous les matins devant le dieu-Soleil. Une cérémonie qui exigeait le sacrifice journalier d'une cinquantaine de taureaux, de chèvres et de moutons. Les sénateurs furent contraints d'assister aux rituels dirigés par Héliogabale lui-même qui prenait pour l'occasion les habits de grand prêtre.

Après avoir choqué les mœurs religieuses des Romains et humilié les dignitaires de l'Empire, Héliogabale se préoccupa de son propre logement. Pour cela, il fallait évidemment édifier un nouveau palais pour lequel il dépensa sans compter et, lors de son inauguration, l'empereur fit jeter sur la foule du haut des tours de la ville des coupes en métaux précieux et des animaux vivants.

Cette prodigalité destinée à le rendre populaire ne parvint pas à atteindre son but. Au lieu de toucher le cœur des Romains, ces dons un peu massifs touchèrent la tête de plusieurs plébéiens qui eurent ainsi le privilège assez rare de mourir assommés par une coupe en or ou une épaule de mouton.

Et naturellement, l'enfant-roi ne s'arrêta pas là.

Les excentricités coûteuses se multiplièrent comme autant de caprices à satisfaire sur-le-champ : lits d'argent massif, voitures cloutées de pierres précieuses, pots de chambre en or ou en onyx, piscines remplies de vin de rose, parfumées d'essences précieuses ou de safran.

Cet adolescent particulièrement sensible au moelleux des étoffes raffinées ne portait jamais deux fois ses vêtements de soie, pratique réservée selon lui aux mendiants, et ses chaussures ornées de pierres précieuses devaient être changées tous les jours.

Pour la même raison, il ne se baignait jamais deux fois dans les thermes qu'il faisait bâtir ici ou là à grands frais avant de les démolir. Il en allait de même pour les villas, les palais et les appartements de luxe qui ne devaient servir qu'une unique fois.

Héliogabale venait d'inventer le concept du palais jetable.

Et aux censeurs chagrins, lorsqu'une des trois Julia osait lui reprocher ces folles et coûteuses extravagances, Héliogabale répondait que c'était là un « acte de grandeur[7] », qu'il n'y avait de vrai luxe que dans la prodigalité paradoxale et sans limites, dans la gratuité prohibitive du gâchis.

En représailles du reproche dont on lui avait fait l'insolence et l'outrage, l'empereur, affirmant sa toute-puissance, se mettait à dépenser plus encore. Et pour cela, il n'hésitait jamais à organiser des fêtes somptueuses à côté desquelles les banquets exubérants de Néron ou de Caligula auraient eu l'air de modestes déjeuners sur l'herbe. Ces banquets, pour lesquels il ne dépensait jamais moins que 100 000 sesterces, furent la grande affaire de son règne et nécessitèrent toute son attention.

Il prenait un soin tout particulier à l'originalité des thèmes et des menus. C'est ainsi qu'il donna des banquets sur des thèmes colorés, tout vert ou tout bleu selon la couleur du ciel, les teintes d'une journée de printemps, ou selon son humeur. Le nombre des convives était extrêmement important.

Il en fallait trois au minimum, pour égaler le nombre des Grâces, et neuf au maximum pour ne pas dépasser celui des Muses. Il fallait également éviter un nombre pair, qui était un mauvais présage. Aussi, pour avoir une assemblée de neuf personnes, il n'hésitait pas à convier à sa table « huit chauves, ou encore huit borgnes, huit podagres, huit sourds, huit nègres, huit géants ou huit obèses[8] ».

Invités à qui il faisait servir les mets les plus raffinés : du vin à la rose relevé par de la pomme de pin pilée, des langues de paons et de rossignols, de la cervelle de flamant, des tétines de truie avec leurs vulves, des truffes saupoudrées de perles broyées en guise de poivre, du talon de chameau et même les têtes de 600 autruches qu'on ouvrit comme des huîtres pour en manger la cervelle. Pour faire plus riche, il faisait servir des petits-pois assaisonnés de pièces d'or, des lentilles poivrées aux pierres précieuses, des fèves parsemées d'ambre, du riz aux perles.

Pendant le repas, l'empereur faisait épandre des roses, fleurs divines, des lis réputés efficaces contre les champignons vénéneux… et contre les rides, ainsi que des violettes, fleurs d'immortalité. Lui-même s'asseyait sur des fleurs d'essence précieuse. Il aimait également faire tomber ces fleurs du plafond de la salle en si grand nombre que certains convives, dit-on, en moururent étouffés.

La plupart des repas avaient néanmoins un déroulement plus plaisant : « Il lui arriva de donner un banquet composé de vingt-deux services de plats énormes ; entre chaque service ses amis et lui-même se baignaient et faisaient l'amour avec des femmes en jurant qu'ils jouissaient pleinement[9] ».

Cependant, s'il aimait éblouir ses hôtes, il aimait davantage s'amuser à leurs dépens et s'offrir le spectacle de leur déconvenue. Il lui arrivait ainsi de retenir ses amis pendant la nuit dans des lieux clos en compagnie de petites vieilles éthiopiennes et les y laissait jusqu'au matin en prétendant que c'étaient des beautés qui étaient livrées à leur bon plaisir. Ivres de vin et de désir, les invités ne faisaient véritablement connaissance de leurs partenaires qu'à l'aube. Trouvant la plaisanterie fort drôle, Héliogabale la déclina à de nombreuses reprises, abandonnant parfois ses amis ivres dans une pièce close où, au beau milieu de la nuit, on lâchait des lions, des ours et des léopards apprivoisés. Ce qui ne manqua pas de faire mourir de frayeur plusieurs de ses convives.

Cependant, son goût enfantin de la farce cruelle prenait parfois une tournure plus innocente. On aurait peut-être du mal à imaginer aujourd'hui une personne suffisamment distraite pour mordre dans une pomme en céramique ou arroser une plante en plastique, mais cette méprise, somme toute assez risible, était également possible à la table de l'empereur qui poussait la facétie jusqu'à faire apporter à ses convives des aliments en matière artificielle (notamment en cire, réplique exacte de ce qu'on lui servait) et si bien imités que le convive pouvait s'y tromper. Parfois même, il se contentait de leur faire dévorer des yeux des tableaux où les différents mets étaient peints.

Cependant, on se régalait généralement à sa table, même si la condition sociale y déterminait plus que l'appétit le contenu de l'assiette. L'empereur dévorant une langouste, l'invité devait se contenter d'une langoustine, et, si l'on servait au maître des lieux un poisson extrêmement fin et rare, le convive avait le droit à une simple anguille du Tibre engraissée dans les flots immondes que déversait l'égout, la *Cloaca maxima* romaine.

Tous ces banquets étaient en général agrémentés de combats de gladiateurs et de pugilistes, mais, trouvant la chose assez commune que de dîner en regardant le sang couler, Héliogabale invita à ses fêtes des prostitués mâles[10], dont les caresses et les attouchements le distrayaient agréablement et le poussaient à tenir devant ses invités des propos scabreux accompagnés de gestes obscènes.

L'adolescent à la sexualité hésitante et à la personnalité ambiguë se faisait moins timide. Son apparence androgyne accentuée par des robes de soie légère et un maquillage excessif, il se mit alors à n'aimer dans l'amour que les singularités.

À la fois mari et femme, *dominus* et *domina*, il se prit d'une prédilection pour les prostituées et les homosexuels, se complaisant tout particulièrement aux attouchements des éphèbes et des amants tarifés dont il se voulait la maîtresse. La nuit, habillé de façon à ce qu'il fût impossible de le reconnaître, l'empereur arpentait les rues sombres de Rome et ses quartiers interlopes, à la recherche de nouveaux partenaires de jeux aptes à exulter et exalter l'éréthisme sensuel dans lequel il se plongeait.

Ce crépuscule romain n'était plus seulement la fuite du jour devant la nuit, c'était aussi la défaite de la raison contre les instincts des sens et les pulsions les plus triviales. Trouvant refuge dans de sordides lupanars, Héliogabale s'y faisait appeler « impératrice », jouant à l'épouse docile, le visage fardé comme une fille de joie, les cheveux délicatement serrés dans une résille et ornés d'un diadème à pierreries, le corps toujours soigneusement épilé.

Le matin, sans le moindre souci de discrétion, il se faisait reconduire dans son palais. C'est qu'il avait pris goût d'atteler à un chariot plusieurs femmes qui le véhiculaient dans les rues animées de la capitale : « Il attachait à une charrette à bras de superbes femmes, par quatre, par deux, ou encore par trois et même davantage, et se faisait ainsi véhiculer, généralement nu, par ces conductrices nues également[11]. »

Cependant, après avoir inventé cette traction « gymno-mobile », Héliogabale tomba amoureux d'un cocher et renonça rapidement à ses femmes attelées.

Hiéroclès, homme de basse extraction mais amant remarquable, devint alors son amant régulier. L'empereur, le corps entièrement épilé, habillé en femme et portant perruque, prit plaisir à paraître aux côtés du beau cocher, s'enorgueillissant d'arborer les marques des coups que lui avait donnés son « mari ».

Puis, trouvant que sa fonction exigeait de lui un peu plus de sérieux et de rigueur dans le dévergondage, il prit sur lui de convoquer les plus illustres mignons, prosti-tuées et proxénètes à son palais afin d'organiser une sorte de « Grenelle de la prostitution ». Après les avoir tous convoqués en assemblée générale, il s'y présenta habillé en femme, le téton à l'air, et se mit à les haranguer en les appelant « camarades » afin de les interroger sur les subtilités de leur art. Comment fallait-il procéder ? Se tenir ? Dans quelle posture et pour quel plaisir ? Assoiffé de connaissance et de sagesse, Héliogabale voulait tout savoir, tout connaître afin d'être lui-même capable d'ame-ner ses partenaires au plus haut degré du plaisir.

Dion Cassius affirme même que l'empereur songea un moment à faire inciser au-dessus de son sexe une ouver-ture transformée en vagin afin de satisfaire au mieux les désirs insatiables de ses amants.

Bien sûr, toutes ces fantaisies auraient très bien pu passer pour des sortes de « licences poétiques » si Héliogabale n'avait pas franchi les limites en s'attaquant directement au pouvoir politique. Les femmes qui gouvernaient à sa place, les sénateurs et autres patriciens qui profitaient largement de cette vacance du pouvoir ne purent tolérer plus longtemps ces extravagances qui commençaient à empiéter sur leurs prérogatives.

Les troupes commençaient à murmurer, maugréant contre des mœurs qui heurtaient leur sensibilité naturelle, ou plutôt leur absence de sensibilité et de prédisposition en matière de « raffinements orientaux ». « Qui aurait pu supporter en effet un empereur qui faisait de tous les orifices de son corps les réceptacles du plaisir[12] ? » s'interroge l'auteur anonyme d'*Histoire auguste.* » Questionnement purement rhétorique, car il apparaît clairement aux yeux des contemporains de l'Empire romain qu'il y était impossible que de telles mœurs y fussent longtemps tolérées.

Surtout lorsque, pour quelque obscure raison, l'empereur estima qu'il était temps de renouveler la classe dirigeante et de chasser oligarques et ploutocrates pour les remplacer par une nouvelle aristocratie incarnée par des individus ayant su se distinguer… par la taille de leur sexe.

Pour ce faire, il fit installer des bains publics dans le palais royal afin d'y recruter des hommes dotés de testicules imposants[13], faisant rechercher avec un soin extrême les « onobèles[14] » dotés d'attributs sexuels particulièrement avantageux. Il organisa également une grande campagne de mobilisation. Des émissaires furent envoyés dans toute la péninsule pour ausculter et mesurer la taille du sexe des impétrants et déterminer s'ils étaient dignes d'être élevés au rang de mignons officiels de l'empereur. Les plus remarquables obtenaient aussitôt des promotions, des charges rémunératrices et des nominations à des postes prestigieux, allant jusqu'à l'élévation à la préfecture du prétoire et aux plus grands honneurs pour « des gens qui se recommandaient à lui par l'énormité de leur membre viril[15] ».

Devant ce « débordement d'anarchie poétique[16] », l'irritation devint générale.

Comme on se rendit compte rapidement que l'empereur ne mettait à des postes importants des hommes jugés non pas selon leurs qualités intellectuelles, leurs expériences politiques ou leur maîtrise technocratiques, mais uniquement sur leur membre avantageux et leurs testicules imposants, de nombreux complots commencèrent à fleurir dans la capitale afin de mettre un terme à l'existence scandaleuse d'un empereur décidément encombrant.

Pressentant qu'on commençait à se liguer contre lui, et comme on venait de lui prédire une mort violente, Héliogabale ordonna une ultime fantaisie : la construction d'une tour gigantesque, du haut de laquelle il pourrait se précipiter, en cas de danger pressant, afin de décider lui-même de sa mort. Le projet ne put commencer immédiatement, l'empereur ayant expressément demandé que le sol en fût recouvert de dalles d'or incrustées de pierres précieuses, car « même sa mort devait être dispendieuse et témoigner de sa magnificence pour qu'on puisse dire que personne n'était mort comme lui[17] ».

Le délai lui fut fatal.

Avant que puisse être réalisé son beau projet, il fut assassiné par les prétoriens de sa garde dans les latrines de leur camp.

Il n'avait que 18 ans.

On raconte que son cadavre nu fut traîné dans les rues pour être jeté dans les égouts. Comme le corps gras et bouffi, ou ce qu'il en restait, tronc informe et défiguré, ne passait pas dans la première bouche d'égout où la foule voulut faire disparaître ce déchet humain, on dut se contenter de le balancer dans les eaux du Tibre du haut d'un pont. Atroces funérailles pour celui qui, s'il ne put mourir comme personne, parvint à vivre comme nul autre n'aurait jamais osé le rêver…

« Voilà ce que j'appelle être empereur. »
HÉLIOGABALE

1 Hérodien, *Histoire des empereurs romains*, V, 3.
2 Appelée également Symiamira, cette princesse syrienne devint impératrice romaine en épousant Septime Sévère. Elle retourna vivre en Syrie avec le petit Varius à la mort de l'empereur et à l'accession au pouvoir de ses successeurs, Geta et Caracalla.
3 Pour Dion Cassius, sa propre mère, la grand-mère d'Héliogabale, aurait également couché avec Caracalla dans le sang de son fils Geta, assassiné par Caracalla.
4 Actuelle Homs, en Syrie.
5 Victor Hugo, cité par Robert Turcan, *Héliogabale et le sacre du soleil*, Albin Michel, 1985, p. 208.
6 Anonyme, trad. André Chastagnol, *Histoire auguste*, Robert Laffont, 1994, p. 512.
7 R. Turcan, *Héliogabale*, op. cit., p. 181.
8 *Histoire auguste*, op. cit., p. 537.
9 Ibid., p. 537.
10 Ibid., p. 519.
11 Ibid., p. 537.
12 Ibid., p. 509.
13 Ibid., p. 515.
14 Du grec *onos*, « âne », et *bélos*, « dard » : hommes pourvus d'un pénis aussi long que celui d'un âne.
15 *Histoire auguste*, op. cit., p. 517.
16 Antonin Artaud, « Héliogabale ou l'anarchiste couronné », *Œuvres*, Gallimard, Quarto, p. 469.
17 *Histoire auguste*, op. cit., p. 541.

Théodora, misère et splendeur d'une courtisane

Ce fut un triomphe pour Sarah Bernhardt lorsque, ce 26 décembre 1884, au théâtre de la Porte-Saint-Martin, elle incarna Théodora dans la pièce éponyme de Victorien Sardou.

Sur les places publiques,
Quand tu rôdais le soir,
À l'ombre des portiques
Chacun a pu t'avoir !
Ah ! Ah ! Théodora !

Alors, beauté fatale,
Tu valais un sou d'or,
Que l'empereur détale,
Tu vaudras moins encore !
Ah ! Ah ! Théodora[1]...

Mais si l'on essayait de démêler les causes de ce puissant attrait que la comédienne exerça ce soir-là sur le public, on pourrait se demander si ce fut par son charme, sa grâce et son talent, ou par un goût particulier pour une fantasmagorie byzantine malsaine et diabolique. Car Théodora, femme fascinante dont le destin dépassa tous les romans, resta dans l'histoire comme une impératrice particulièrement cruelle et débauchée.

Elle fut même placée au-dessus de Messaline dans l'ordre du vice ct de la dépravation par Procope de Césarée, l'historien byzantin qui fut un des seuls à laisser un témoignage assez détaillé dc ce que fut la vie de cette femme.

Étant donné le peu de sources réelles que l'on possède sur cette période, Procope est un auteur incontournable pour qui s'intéresse à l'histoire de l'Empire byzantin. Conseiller civil du grand général Bélisaire, esprit curieux, intelligent et observateur, il connut tous les grands de son temps et laissa un témoignage unique sur les faits historiques auxquels il fut mêlé.

Cependant, si, dans son ouvrage officiel, *Les Guerres*, Procope nous donne de l'empercur Justinien et de sa femme Théodora une vue extrêmement flatteuse, l'auteur nous a laissé dans son *Histoire secrète*, publiée seulement après sa mort, un tableau infiniment moins flatteur et terriblement malveillant.

Il nous y révèle la scandaleuse jeunesse de Théodora et nous montre le basileus soumis à une femme autoritaire, cruelle, rapace et salace. Il nous fait complaisamment le récit de toutes les infamies perpétrées par l'impératrice, les complots, les guets-apens, les vols, les assassinats et autres exécutions capitales. Soulageant peut-être sa conscience, il s'acharne tout particulièrement sur Théodora, au sujet de laquelle il est inépuisable :

« Souvent, elle assistait à des banquets avec dix jeunes gens et plus, vigoureux et habitués à la débauche. Après qu'elle avait couché la nuit entière avec tous et qu'ils s'étaient retirés satisfaits, elle allait trouver leurs domestiques, au nombre de trente environ, et se livrait à chacun d'eux. Après avoir travaillé des trois ouvertures créées par la Nature, elle lui reprocha de n'en avoir pas placé une autre au sein afin qu'on pût y trouver une nouvelle source de plaisir[2]. »

En s'attardant sur l'inconduite morale de l'impératrice, Procope est un peu tributaire d'une certaine tradition littéraire de l'outrance et de l'outrage, la condition féminine n'y étant pas particulièrement mise en valeur.

On peut également penser que sa virulence à l'égard de Théodora eut peut-être pour origine quelque rancune personnelle. Mais Jean d'Éphèse, évêque et historien qui fréquenta également la basilissa, semble confirmer la terrible réputation de l'impératrice qu'il surnomma « Théodora sortie du lupanar ».

Celle qui incarna une des plus étonnantes destinées de l'histoire allait donc rester pour la postérité comme la fille d'un montreur d'ours qui se prostitua et se livra aux débauches les plus obscènes. Terrible purgatoire que ce « complexe de Procuste », qui allait la réduire aux simples dimensions du lit impérial.

Pourtant, aussi vaste et hospitalier que fût ce lit, il ne pouvait faire rêver la jeune Théodora qu'une humble extraction condamnait à se produire sur des scènes moins prestigieuses. Pour celle qui ne connaissait que la paille ou le foin de l'hippodrome, les tissus précieux de la couche impériale avaient autant de réalité que les soieries de l'empereur de Chine.

Née dans la pauvreté, elle le fut plus encore à la mort de son père. Montreur d'ours et soigneur de fauves au cirque, il laissa une femme et trois filles dans le plus complet dénuement. La mère fit rapidement monter sur scène l'aînée et attendit avec impatience l'adolescence et la puberté de Théodora qui était de loin la plus belle : « Pleine de grâce, mais trop petite ; elle était assez fraîche, de manière cependant à tourner à la pâleur ; son œil était toujours vif et perçant[3]. »

Enfin, devant les évidentes prédispositions de sa fille, la mère se résigna néanmoins à lui attribuer quelques tâches faciles à accomplir.

« Quoique jusque-là Théodora ne fût pas assez formée pour avoir aucun commerce avec un homme et pour être regardée comme une femme, elle accordait certaines privautés masculines à des hommes corrompus, et même aux esclaves qui accompagnaient leurs maîtres aux théâtres, et qui y trouvaient l'occasion de se livrer à cette infamie. Elle passa quelque temps dans ce mauvais lieu, en abusant ainsi de son corps pour des plaisirs contre nature[4]. »

Puis, lorsque sa mère jugea sa fille parvenue à une certaine maturité, elle la fit monter à son tour sur scène et la voua à la pantomime pornographique. Théodora avait une grâce naturelle exceptionnelle, un beau visage équilibré et des yeux expressifs. Entreprenante, effrontée et audacieuse, elle n'attendait pas que les hommages vinssent à elle, mais elle mettait une hardiesse délurée et joyeuse à les provoquer et à les encourager. En outre, avec cette humeur enjouée, elle montrait une grande finesse d'esprit qui plut énormément. Pleine d'imagination et de fantaisie, la jeune femme se mit à négliger les exercices de l'amphithéâtre pour composer sa propre scénographie. Se plaisant à des bouffonneries, des mimiques et inventant probablement l'effeuillage burlesque, elle avait la réputation de fixer tous les regards aussitôt qu'elle était en scène : « Personne ne la vit jamais reculer par pudeur, ni perdre contenance devant aucun homme ; elle assistait sans scrupule aux réunions les plus équivoques[5]. »

Incapable de s'en tenir aux limites de la plus stricte bienséance, la jeune femme eut à cœur de développer de telles dispositions et d'étoffer son jeu d'actrice. Procope semble, sur le sujet de son épanouissement, intarissable :

« Elle excellait surtout, quand on la fustigeait avec une baguette ou qu'on la frappait sur les joues, à faire des gentillesses et à provoquer les plus grands éclats de rire ; elle se découvrait devant et derrière d'une manière si indécente, qu'elle montrait aux spectateurs ce qui doit toujours être caché et rester invisible. Elle stimulait ses amants par ses facéties voluptueuses, et, habile à inventer sans cesse de nouvelles jouissances, elle parvenait à s'attacher invinciblement les plus libertins[6]. »

Un autre passage en dit long sur les ressources inventives de la future impératrice :

« Souvent à la vue de tout le peuple elle se dévêtait, et allait nue au milieu de tous. Dans cette tenue, elle se couchait à la renverse sur le sol et y restait étendue. Des esclaves dont c'était le travail jetaient des grains d'orge au-dessus de son sexe, et des oies dressées à cela les picoraient en les prenant un à un dans leurs becs. Elle, alors, se relevait non seulement sans rougir, mais en paraissant tirer gloire de cette action, car non seulement elle était sans pudeur, mais elle inventait plus que toute autre des impudences[7]. »

Son absence de sens moral étant compensé par un infatigable tempérament d'amoureuse, la réussite de Théodora ne se fit pas attendre et elle devint rapidement une prostituée de grand talent et de grande renommée. Son imagination dans les fantaisies sexuelles allait rapidement lui procurer la richesse et une notoriété aux conséquences insoupçonnées. Alors même que les gens respectables s'étaient mis à l'éviter soigneusement en changeant de chemin lorsqu'elle apparaissait sur une place publique[8], elle fit la rencontre inattendue du neveu de l'empereur Justin, Justinien, qui approchait de la quarantaine. Il tomba sous son charme et en fit sa maîtresse.

Comment s'y prit-elle pour séduire et garder cet homme qui n'était plus vert, ce politique qui avait une situation à ménager, un avenir à ne point compromettre ? On ne sait. Procope parle de magie et de philtre... C'est oublier que l'humeur spirituelle et une sensualité épanouie et expérimentée ne pouvaient que puissamment agir sur l'âme indécise et faible de son amant.

Éperdument amoureux, il ne refusa rien aux exigences de sa maîtresse. Elle aimait l'argent : il la combla de richesses. Elle était friande d'honneurs et de considération : il obtint pour elle, de la faiblesse de l'empereur son oncle, la haute dignité de patricienne.

Elle était avide d'influence : il se laissa gouverner par ses conseils. Enfin, il chercha à l'épouser. Pour cela, il dut obtenir de son oncle une dispense spéciale l'autorisant au mariage avec une prostituée. Ceci fait, et selon l'usage des souveraines de Byzance, Théodora alla recevoir les acclamations du peuple dans cet hippodrome qui avait vu ses modestes débuts.

Après la mort de Justin Ier en 527, le jeune couple fut solennellement couronné. Théodora reçut le diadème impérial et de nouvelles acclamations dans l'hippodrome. À 23 ans, l'ancienne prostituée était devenue impératrice de l'Empire byzantin.

Et contrairement à ce que certains durent penser, Théodora comptait bien participer activement au gouvernement de l'Empire. Activement, mais surtout fermement, « son esprit était dominé par l'habitude de la cruauté la plus invétérée. Elle ne se laissait jamais fléchir, ni entraver dans aucune exécution[9] ». Lorsqu'elle haïssait, elle était femme à ne reculer devant rien, ni devant le scandale d'une injuste disgrâce, ni même devant l'éclat d'un assassinat. Sans se distinguer à proprement parler par de la férocité, Théodora n'en montra pas moins de la dureté et un vif esprit de vengeance à l'encontre de ses ennemis, pour lesquels elle avait à sa disposition « des cachots entièrement secrets, ténébreux et sans voisinage, qu'on ne pouvait découvrir ni de jour ni de nuit[10] ». Elle savait que le pouvoir s'exprimait d'abord par la fermeté et, pour plagier *L'Art poétique* de Boileau, on pourrait définir « l'art politique » de Théodora selon ce principe :

Celui qui dirige bien gouverne sévèrement
Et les coups pour punir arrivent aisément[11].

L'expérience acquise dans les bas-fonds de Constantinople lui avait donné le sens des réalités du pouvoir et lui faisait mesurer le destin unique qui était le sien. Elle savait que la paix de l'Empire tenait à sa capacité à exercer un pouvoir sans faiblesse aucune.

Lorsque ce pouvoir vacilla sous le coup d'un soulèvement général (la révolte « Nika », le plus dramatique incident de son règne) et que tout semblait perdu, seule Théodora voulut résister jusqu'à l'extrémité. L'empereur hésitait encore lorsque l'impératrice pénétra dans la chambre du Conseil. Ses grands yeux noirs brillaient de colère plus encore que de coutume. Après avoir salué l'empereur, elle s'était avancée au milieu des sénateurs, et, d'une voix contenue où perçaient des accents de mépris, elle leur fit ce courageux discours :

« Je suis opposée à toute fuite, même y trouverais-je le salut. Tout homme né à la lumière est destiné à mourir un jour. Un empereur digne de ce nom ne doit pouvoir souffrir l'exil. Pour moi, je ne pourrais plus vivre dépouillée de la pourpre et du titre d'impératrice qui m'a été décerné. Si tu souhaites fuir pour assurer ta sûreté, ô empereur, cela t'est aisé : voici des trésors, voici la mer, voici des vaisseaux, mais prends garde qu'une fois dépossédé du pouvoir tu n'échanges la lumière du jour contre un mort honteuse. Pour moi, je fais mienne cette ancienne parole que la pourpre fait un beau linceul[12]. »

Après avoir montré à tous qui régnait vraiment, Théodora se comporta en autocrate absolue, se manifestant notamment par une attention maladive au respect de l'étiquette.

Quand elle se déplaçait, elle se faisait accompagner d'une suite extrêmement nombreuse formée de membres de l'aristocratie, d'une garde et d'une suite de serviteurs de plus de quatre mille personnes.

Il lui fallut une cour, des suivantes, des gardes, des cortèges. En vraie parvenue, elle adorait et multipliait autour d'elle les complications du cérémonial.

Il fallait, pour lui plaire, être assidu à lui rendre hommage, se prosterner devant elle jusqu'à terre, faire chaque jour, à l'heure des audiences, de longues stations dans ses antichambres.

Rarement parvenue s'habitua plus vite aux exigences de sa nouvelle majesté ; rarement souveraine de naissance aima et goûta davantage les joies multiples, plaisirs de luxe et menues satisfactions d'orgueil que peut donner l'exercice de l'autorité suprême. Très femme, toujours élégante et désireuse de plaire, elle voulut des appartements somptueux, des habillements magnifiques, des bijoux merveilleux, une table toujours servie avec un goût exquis et recherché.

Elle avait de sa beauté un soin attentif et constant. Pour se faire un visage reposé, elle prolongeait son sommeil par d'interminables siestes, pour conserver l'éclat de son teint, elle prenait des bains fréquents, auxquels succédaient de longues heures de repos.

Intelligente, elle avait parfaitement compris que son charme était le plus sûr garant de son influence.

Puis, soucieuse de faire disparaître tout ce qui pouvait rappeler son ancien état, elle ordonna la fermeture de toutes les maisons closes de la capitale, condamnant les tenanciers à l'exil et faisant enfermer les prostituées dans des monastères spécialement conçus à cet effet.

Comme son éducation, essentiellement « artistique », ne lui permettait pas de comprendre les lois et les actes officiels rédigés en latin, elle imposa le grec et envoya en exil, et parfois dans l'autre monde, plusieurs patriarches qui s'opposaient à ses volontés. Envoyer ad patres les pères de l'Église lui permit aussi de combattre la misogynie cléricale et d'affirmer clairement son autorité.

Dans un monde byzantin riche en intrigues, crimes, rivalités sourdes et coups portés dans l'ombre, cette femme exceptionnelle devait se montrer une habile et courageuse politique pour survivre, mais son extrême cruauté allait profondément marquer les esprits :

« Quelques-unes de ses victimes infortunées expirèrent dans des cachots malsains ; d'autres, après avoir perdu leur raison, leur fortune ou l'usage de leurs membres, furent rendus à la lumière pour être un vibrant témoignage de la vengeance de Théodora[13]... »

C'est ainsi qu'elle n'hésitait pas à résoudre de la façon la plus expéditive la moindre contrariété en faisant châtier un homme irrespectueux, étrangler la reine des Goths décidément trop belle, écorcher vif un serviteur désobéissant... Si, pour les uns, elle resta la femme énergique, ferme et volontaire qui sut gouverner un immense empire et un faible mari, pour d'autres, son influence resta marquée par cette extrême cruauté. Malgré cela, ou peut-être grâce à cela, l'influence de Théodora ne se démentit pas et elle exerça sur l'empereur une très grande influence, gouvernant l'Empire autant sinon plus que lui. Pendant les 21 ans qu'elle régna, elle mit la main partout, dans l'administration qu'elle peupla de ses protégés, dans la diplomatie, dans la politique, dans l'Église, réglant toutes choses à sa guise, faisant et défaisant à son caprice les papes et les patriarches, les ministres et les généraux.

Aussi, lorsqu'elle mourut d'un cancer, en juin 548, Justinien pleura amèrement une perte qu'il jugeait irréparable, éprouvant très douloureusement la disparition de celle qu'il estima être « un don de Dieu ».

« L'empereur ne décide rien
sans avoir pris mon conseil. »
Théodora

1 Victorien Sardou, *Théodora*, 1884.
2 P. de Césarée, *Histoires secrètes*, op. cit., IX, 6.
3 Ibid., X, 8.
4 Ibid., IX, 3.
5 Ibid., IX, 4.
6 Ibid., IX, 5.
7 Ibid., IX, 7.
8 Mais peut-être était-ce moins par dégoût du vice, et crainte de « quelque souillure de contact », que par peur d'être reconnus et apostrophés en public...
9 P. de Césarée, *Histoires secrètes*, op. cit., XV, 1.
10 Ibid., III, 7.
11 Nicolas Boileau, *L'Art poétique*, chant I :
   « Ce que l'on conçoit bien s'énonce clairement,
Et les mots pour le dire arrivent aisément. »
12 Edward Gibbon, *Histoire de la décadence et de la chute de l'Empire romain*, t. VII, Lefèvre, 1819, p. 233.
13 Ibid., p. 217.

Irène :
c'est Byzance !

Timeo danaos et dona ferentes. Virgile avait pourtant prévenu : il faut craindre les Grecs lorsqu'ils commencent à se montrer aimables et à faire des cadeaux[1]. Mais comment Constantin VI aurait-il pu se méfier de sa propre mère, Irène l'Athénienne, cette femme dont l'intelligence et la beauté furent vantées par tous ses contemporains, mais qui fut également pourvue d'une ambition démesurée ? Son amour du pouvoir était tel qu'il en fit une seconde Agrippine rivalisant d'habileté et de ruse avec son fils, pâle figure de Néron byzantin, afin de garder le trône pour elle toute seule.

D'ailleurs, une femme régnant sur l'Empire byzantin n'était pas chose rare. Depuis Théodora, les femmes avaient souvent occupé la première place, même si d'une façon un peu bizarre elles étaient alors assimilées à des hommes, le pouvoir s'exerçant au masculin, même dans le cas d'une impératrice. Il y eut donc un certain nombre de femmes reconnues comme « empereur des Romains ».

Au début de l'année 769, l'empereur Constantin V chercha une fiancée pour son fils Léon et jeta son dévolu sur une très belle jeune fille, Athénienne, nommée Irène. Le mariage eut lieu quelques mois plus tard, à Constantinople.

Deux ans plus tard naîtra un fils, le futur Constantin VI.

Le lendemain des noces, pour la première fois, Irène assista dans la loge impériale aux courses que Constantin, grand amateur de chevaux, donnait dans l'hippodrome. Elle put y admirer l'obélisque égyptien et les quadriges tournant autour de l'arête centrale sur laquelle il s'élevait. Elle vit plus loin la colonne Serpentine, provenant de Delphes et qui célébrait la victoire des Athéniens sur les Perses à Platée, et le quadrige de bronze qui orne aujourd'hui la façade de la basilique Saint-Marc à Venise.

Paul Adam l'imagina « haletante et pâmée » par sa nouvelle situation. « … assise sous les tendelets impériaux à l'extrême pointe du promontoire dominant les eaux rapides du Bosphore, elle passait les soirs devant la féerie immortelle du ciel levantin à se voir reflétée dans les vasques de métal poli, resplendissante comme la mère de Dieu en la châsse pompeuse de ses vêtements, qui miraient les scintillantes étoiles à chaque facette de leurs joyaux uniques[2]. »

Mais tout changea avec la mort du vieil empereur, en 775. Léon IV monta logiquement sur le trône en compagnie de sa femme Irène devenue impératrice.

En 780, l'empereur trouva à son tour la mort lors d'une campagne militaire.

Dès lors, tout le pouvoir revenait à son tout jeune fils, Constantin VI, alors âgé de dix ans, au nom de qui sa mère allait exercer la régence. Et naturellement, on attendait d'elle qu'elle se montrât capable de gouverner l'Empire comme un homme l'aurait fait.

La sensibilité, la délicatesse et la mansuétude étant manifestement considérées comme l'apanage des femmes, une impératrice devait surtout se distinguer par des qualités viriles et une brutalité jugée toute masculine. Pour cela, la belle Athénienne eut l'esprit de s'entourer d'hommes intelligents, décidés et surtout peu scrupuleux. Elle plaça à leur tête Staurakios, un eunuque qui lui était particulièrement dévoué et qui allait être son éminence grise pendant les 20 années de son règne. Ces dispositions prises, elle était prête à affronter les premiers complots qui apparurent après seulement un mois de régence.

Deux de ses beaux-frères ayant essayé de s'emparer du pouvoir, ils furent aussitôt tonsurés et condamnés à entrer dans les ordres. Une mesure plutôt clémente, mais dont l'efficacité augura la façon dont la nouvelle impératrice allait défendre son trône.

« C'était une femme vraiment née pour le trône, d'une intelligence virile, admirablement douée de toutes les qualités qui font les grands souverains, sachant parler au peuple et s'en faire aimer, excellant à choisir ses conseillers, douée d'un parfait courage et d'un admirable sang-froid[3]. »

Irène multiplia ses aumônes et se lança dans des fondations pieuses et des restaurations de couvents. Elle rétablit également le culte des images, interdisant l'iconoclasme, ce mouvement qui rejetait les images pieuses associées à de l'idolâtrie et poussait à la destruction des icônes.

Elle envoya également une flotte en Sicile pour mater une rébellion, et des troupes en Orient afin de combattre les Arabes qui crurent pouvoir profiter de sa faiblesse. Par ailleurs, elle négocia un projet de mariage entre son fils et une fille de Charlemagne. Dans ce but, elle dépêcha un eunuque du palais à Aix-la-Chapelle afin d'instruire la jeune Rotrude dans la langue et les usages de sa future patrie. Enfin, elle envoya son eunuque Staurakios soumettre les tribus slaves qui ignoraient encore son autorité. L'impératrice veilla également à garder un œil perçant et une main pesante sur le palais, centre de toutes les luttes et de toutes les conjurations. Elle tenait à sauvegarder l'œuvre qu'elle s'efforçait d'accomplir et à conserver le pouvoir qu'elle détenait ; pour cela, elle ne recula ni devant la lutte ni devant le crime.

Aussi, en réagissant chaque fois avec une extrême vigueur, elle se débarrassa de tous ses adversaires. Si elle se contenta parfois d'en écarter certains des postes où ils gênaient, elle préférait en général les briser par la force, faisant arrêter les conjurés et leurs partisans qui étaient promptement aveuglés par percement des yeux.

Au royaume des aveugles, on trouvait peut-être des rois, mais pas d'empereurs byzantins.

Pendant ce temps, le jeune Constantin VI grandissait et allait bientôt avoir 18 ans. Autoritaire et passionnée, Irène continuait pourtant à le traiter en enfant.

Le projet de mariage entre Constantin VI et une fille de Charlemagne fut abandonné. Constantin, qui avait fini par s'éprendre à distance de la jeune princesse d'Occident, dut se résigner à accepter un autre mariage. Irène et son premier ministre, le fidèle Staurakios, firent le choix d'une jeune Arménienne, Marie d'Amnia.

Elle était jolie, intelligente et pieuse. Assez jolie pour occuper l'esprit de son fils à autre chose qu'à régner et assez intelligente pour être reconnaissante à sa bienfaitrice et lui être docilement soumise. Mieux encore, elle était issue d'une famille fort modeste, et la prévoyante belle-mère estima qu'elle n'aurait à craindre aucune ambition gênante et déplacée.

Le mariage fut donc arrêté, et le pauvre Constantin dut obéir.

Sa mère avait simplement redouté que le puissant Charlemagne ne devînt un trop solide appui pour la faiblesse de son gendre et ne l'aidât à se rendre maître de la monarchie. C'est qu'avec l'exercice de la régence, Irène avait développé un amour démesuré pour le pouvoir et se résignait de moins en moins à l'abandonner. Elle continua donc de tenir son fils à l'écart des affaires. L'empereur était comme isolé dans sa propre cour, sans amis ni influence, alors que le premier ministre, le tout-puissant Staurakios, gouvernait tout à son caprice, insolent et hautain ; devant le favori, chacun s'inclinait humblement.

Entre le fils désireux de régner et la mère passionnément éprise de l'autorité suprême, le conflit était fatal, inévitable.

Finalement, le jeune souverain s'insurgea contre cette tutelle et, avec quelques-uns de ses familiers, conspira contre le premier ministre. Mal lui en prit. Le complot ayant été découvert, sa mère se sentit du même coup directement menacée.

De ce jour, l'ambition tua en elle l'amour maternel.

Elle venait enfin de prendre la décision qu'elle méditait depuis des années : écarter Constantin du pouvoir.

Brutalement, elle frappa. Les conjurés furent arrêtés et torturés, exilés ou emprisonnés. Chose plus grave, l'empereur lui-même fut humilié comme un petit garçon à qui on donne la fessée, qu'on dispute et qu'on punit en le faisant monter dans sa chambre sans dessert. Constantin VI, fils de Léon IV le Khazar, empereur de l'Empire byzantin, fut battu de verges comme un enfant rebelle, tancé d'importance par sa mère et mis pour plusieurs jours aux arrêts dans ses appartements.

Après cela, l'impératrice se crut sûre de son triomphe, surtout que ses nombreux flatteurs étaient là pour entretenir son illusion, affirmant bien haut « que Dieu même ne voulait point que son fils régnât[4] ».

Superstitieuse et crédule comme tous ses contemporains, elle se laissa prendre à ces paroles et aux oracles des devins qui lui promettaient le trône. Pour se l'assurer, elle risqua le tout pour le tout.

Un nouveau serment de fidélité fut demandé à l'armée ; les soldats durent jurer d'après cette formule inattendue et singulière : « Aussi longtemps que tu vivras, nous ne reconnaîtrons point ton fils comme empereur[5]. » Dans les acclamations officielles, le nom d'Irène fut mis avant celui de Constantin.

Mais l'ambitieuse était allée trop vite.

Comme la flotte byzantine venait d'être battue par celle des Arabes, les soldats imaginèrent que c'était la preuve que Dieu avait voulu sanctionner Irène. Les unes après les autres, les troupes se rebellèrent et refusèrent de prêter le serment. Irène voulut négocier et leur envoya un général, mais celui-ci, retourné par les rebelles, se retrouva bientôt à leur tête pour proclamer Constantin VI seul empereur et demander la déposition et le bannissement de l'impératrice. Le mouvement s'amplifia. Irène ne put empêcher son fils de se faire acclamer par les troupes.

Il prit le pouvoir le 10 novembre 790.

Impuissante et furieuse, l'impératrice mère dut accepter la disgrâce de ses amis les plus chers et l'arrestation de son précieux Staurakios. Cependant, menacée d'être exilée en Sicile, elle sut faire parler son cœur de mère et retrouva soudain tout son amour pour son fils unique. Fléchissant devant ses larmes et ses démonstrations d'affection, Constantin se contenta de la consigner dans son magnifique palais d'Éleuthère.

Bien sûr, Constantin n'avait aucune haine contre sa mère, et sa rancune finit par s'effacer. D'ailleurs, comme il n'arrivait pas à gouverner seul, il ne tardera pas à se rendre de plus en plus souvent en secret chez elle pour lui demander conseil. Un an à peine s'était écoulé depuis la chute d'Irène qu'au mois de janvier 792, cédant à ses prières, le jeune prince lui rendait le titre d'impératrice, la rappelait au Palais sacré et l'associait au pouvoir.

L'impératrice avait donc retrouvé son précieux trône et ne s'en trouva que plus ardente que jamais à poursuivre son rêve ambitieux.

Mais, dans l'immédiat, elle fut avide de châtier ceux qui l'avaient offensée, mais épargna le général qui l'avait trahie. Elle avait d'autres projets pour lui.

Une fois réglées les affaires pressantes, elle se remit à réfléchir à la façon d'écarter son fils du pouvoir. La faiblesse du basileus lui avait clairement fait comprendre que sa destinée n'était pas de régner, mais son récent échec l'avait rendue prudente, et elle comprit qu'elle devait se montrer plus habile (et surtout plus patiente).

Elle mit cinq longues années à préparer lentement son triomphe et employa ce temps très utilement à imaginer les intrigues les plus subtiles et les mieux combinées.

Elle s'attaqua d'abord à la réputation de son fils. Bien qu'il fût courageux et intelligent, Irène s'arrangea pour le faire passer pour cruel et lâche, et le déconsidérer auprès des soldats et de ses amis. Ensuite, elle s'arrangea pour qu'on le crût débauché, ce qui lui retira le soutien de l'Église. Enfin, elle poussa son fils à nourrir des soupçons contre ce traître de général qu'elle compromit si bien que ce fut l'empereur lui-même qui le disgracia, le fit emprisonner puis aveugler, comme le voulait la coutume.

C'était là d'une grande habileté de la part de l'impératrice qui d'un seul coup se vengeait et privait son fils de ses appuis dans l'armée.

La dernière partie de son plan impliquait de pousser Constantin à répudier sa femme. Cela s'avéra assez facile. Peut-être encore secrètement amoureux de la lointaine Rotrude, la promise à laquelle il avait tant rêvé dans sa jeunesse, le jeune homme n'était jamais parvenu à aimer la femme qu'on lui avait imposée.

L'impératrice, qui avait regagné la confiance de son fils et retrouvé toute son influence, s'arrangea pour qu'il s'éprît d'une de ses filles d'honneur, une certaine Théodote. Cette fois-ci, le choix était bon, et Constantin en tomba profondément amoureux. Irène, en mère soucieuse du bonheur de son fils, encouragea cette passion en lui conseillant de se séparer de sa femme pour épouser la jeune fille.

Naïvement, Constantin suivit les conseils maternels, mit sa première femme au couvent et épousa en 795 Théodote.

Naturellement, le divorce entraîna un formidable scandale. Le patriarche le menaça d'excommunication, mais Constantin l'obligea à y renoncer sous peine de mort. En quelques jours, toute la chrétienté byzantine se mit à fulminer contre l'empereur bigame et débauché. Constantin perdit patience, des arrestations furent ordonnées, des religieux, battus de verges, emprisonnés ou exilés. Tous alors dénoncèrent le tyran, ce « nouvel Hérode[6] ».

Alors, pour rétablir son honneur et son prestige, l'empereur décida de se lancer dans une grande campagne militaire contre les Arabes. Staurakios, qu'il avait imprudemment emmené, s'arrangea pour soudoyer les éclaireurs qui lui annoncèrent deux nouvelles : l'ennemi battait en retraite et sa femme venait de donner naissance à un fils. Avec ces bonnes nouvelles, il ne fut guère difficile au perfide eunuque de persuader Constantin de retourner en hâte auprès de sa charmante épouse. Aussitôt l'empereur parti, ses troupes dispersées furent vaincues les unes après les autres.

Constantin venait de perdre définitivement le soutien de l'armée.

Irène en profita immédiatement pour gagner à ses intérêts les principaux officiers de la garde et leur fit accepter un projet de coup d'État qui la ferait seule impératrice.

Le 17 juillet 797, Constantin rentrait tout joyeux au palais quand les conjurés se jetèrent sur lui pour l'arrêter. L'empereur fut enfermé au Palais sacré, dans la chambre de la Pourpre où il était né, et là, sur ordre de sa mère, le bourreau vint lui crever les yeux.

Contrairement à toute attente, il ne mourut pas et dut être relégué dans un coin reculé du palais, déposé, déshonoré et abandonné de tous.

Irène venait enfin de réaliser son rêve en devenant la première femme-empereur de l'Empire romain d'Orient. Elle reçut les honneurs de son peuple et prit le titre de basileus[7]. Après un solennel *Te Deum* dans l'église des Saints-Apôtres, elle traversa vêtue d'or et de pourpre la Voie triomphale afin de se faire enfin reconnaître comme « Irène, grand basileus et autocrator des Romains[8] ».

Il est curieux de noter que, par un étrange paradoxe, l'irénisme désigne aujourd'hui une attitude de compréhension et de charité. Ce qui n'est évidemment pas une référence à l'impératrice byzantine, mais au nom qu'elle porta et qui illustra si peu ses qualités, « Irène » (εἰρήνη, *eirènè*) signifiant en grec « paix ».

> « *De toutes les fautes, la plus grande*
> *est de négliger ses ennemis.* »
> IRÈNE L'ATHÉNIENNE

1. *Timeo danaos et dona ferentes* : « Je crains les Danaéens, même lorsqu'ils apportent des cadeaux. » (Virgile, *Énéide*, II, 49.) La scène fait référence au cheval de bois offert par les Grecs, les Danaéens, afin de s'emparer par la ruse de la ville de Troie.

2. Paul Adam, *Princesses byzantines*, Firmin-Didot & Cie, 1893, p. 33.

3. Gustave Léon Schlumberger, *Les Îles des princes*, Calmann-Lévy, 1884, p. 112.

4. Charles Diehl, *Figures byzantines*, Armand Colin, 1906, p. 95.

5. Ibid., p. 95.

6. C. Diehl, *Figures byzantines*, op. cit., p. 97.

7. Et non plus basilissa.

8. C. Diehl, *Figures byzantines*, op. cit., p. 105.

Al-Hakim, mille et une nuits blanches pour un conte cruel

Souvenez-vous avec quelle habileté la belle Schéhérazade envoûta le redoutable sultan, le rendant captif par la puissance souveraine de ses récits qui prolongeaient ses nuits et sa vie, au fil des histoires merveilleuses retraçant les aventures de Sinbad le marin, d'Ali Baba et ses quarante voleurs, d'Aladin et sa lampe merveilleuse, mais aussi celles de princes orientaux, de vizirs et de califes en proie aux plus terribles machinations...

Car, comme de bien entendu, lorsqu'on est calife, on s'attend toujours à voir surgir un importun ne désirant rien de moins que de vous subtiliser le pouvoir, c'est-à-dire devenir calife à la place du calife. Et c'est justement ce qui arriva au jeune al-Hakim, contre lequel complota l'infâme Bardjawân, l'eunuque sournois dévoué en apparence à son service, mais qui décidément s'intéressait d'un peu trop près aux affaires du palais.

Une histoire qui a tout d'un beau conte oriental, mais, si l'on trouve bien le calife al-Hakim en héros des *Mille et*

Une Nuits[1], ce prince fut également un personnage histo-rique pour le moins haut en couleur.

Il est vrai que le jeune calife al-Hakim[2] fit une entrée chatoyante lorsqu'il arriva en 996 au Caire pour prendre la succession de son père et devenir le sixième calife de la dynastie fatimide. Revêtu d'une brillante armure et d'un turban orné de pierres précieuses, la lance au poing et l'épée au côté, accompagné de toute sa cour, il avait vrai-ment fière allure. Il venait d'hériter d'un véritable empire couvrant toute l'Afrique du Nord, englobant la Palestine et Damas. Cependant, il n'avait encore que 11 ans et se voyait imposer la tutelle de son précepteur, celui qui était encore appelé « le sage Bardjawân ».

Aussi, il se contenta de siéger sur son trône d'or et de recevoir les hommages empressés et volubiles des cour-tisans. Bardjawân, eunuque blanc qui avait l'intendance de la maison, eut pour charge d'administrer l'Empire, conformément aux dernières volontés du père.

Le jeune prince eut néanmoins la possibilité de faire quelques libéralités, supprimant certains impôts particu-lièrement injustes, distribuant quelques titres de noblesse et quelques fonctions honorifiques.

Pendant ce temps, les premiers complots ne tardèrent pas à fleurir. Le plus grave de tous étant un soulèvement général des Berbères qui exigèrent la direction des affaires de l'État. Bardjawân négocia et dut céder en désignant leur chef comme *wâsita*, c'est-à-dire médiateur entre le calife et les fonctionnaires. Considérant cette conces-sion comme une preuve de faiblesse, et comprenant qu'il devait d'abord prendre la place du vizir avant d'usurper celle du calife, le chef des Berbères essaya d'assassiner le ministre. Le rusé Bardjawân comprit aussitôt qu'il venait d'introduire le fennec dans le poulailler et que les ambitions du Berbère n'allaient pas s'arrêter là. Par prudence, l'eunuque décida alors de s'allier avec un autre prince berbère qu'il poussa habilement à la rébellion. Conformément à ses prévisions, les Berbères s'entretuèrent, le *wâsita* fut assassiné et l'eunuque put se donner le titre officiel de médiateur.

Durant quatre années, de 996 à 1000, l'eunuque Bardjawân assura la régence de la maison fatimide. Quatre années pendant lesquelles il y eut de nombreux complots, des tentatives d'assassinat, des trahisons... Mais Bardjawân veillait et réussit à garder le jeune calife sur le trône tout en protégeant sa propre vie.

Cependant, il y avait un ennemi contre lequel l'eunuque n'avait pas songé à se protéger : le jeune prince lui-même.

Il se trouvait que Bardjawân, considérant l'enfant comme son propre fils, avait eu dans son enfance l'habitude de l'appeler affectueusement « le lézard ». Un surnom que le garçon avait fini par prendre en horreur. Certes, il aurait pu s'en ouvrir auprès de son tuteur, mais la chose était impossible.

Un calife ne pouvait s'abaisser à ce genre de remontrance. Assassiner l'eunuque était plus facile que de témoigner de ses petites contrariétés personnelles. Aussi, ayant prévu de le faire périr, un soir d'avril de l'an 1000, le jeune calife invita son maître à l'accompagner pour une promenade dans les jardins du palais :

« Le petit lézard est devenu grand dragon, et il vous demande[3]. »

Bardjawân, tout tremblant d'un sombre pressentiment, vint trouver son calife bien-aimé qui lui fit aussitôt couper la tête. Hélas, comme l'eunuque était aimé des Égyptiens, sa mort suscita un soulèvement parmi le peuple qui s'assembla en foule à la porte du palais.

Épouvanté et regrettant déjà de n'avoir plus le brave Bardjawân pour le protéger, le calife se résigna à s'exposer à la vue de son peuple. Pour cela, il monta dans la chambre la plus haute de son palais, se montra à la fenêtre, salua son peuple et lui dit avec des larmes dans la voix :

« J'ai été instruit d'une intrigue que Bardjawân tramait contre moi et c'est pour cela que je l'ai fait mourir. Je vous prie de m'aider de votre secours et de ne pas m'opprimer, car je suis encore un enfant[4]. »

Il réussit à émouvoir la foule qui ne vit en lui qu'un enfant tyrannisé par le pouvoir et se dispersa en silence.

Al-Hakim venait d'apprendre sa première leçon politique : ne jamais se montrer faible en ne faisant exécuter qu'une seule personne...

Comme le fidèle Bardjawân qui veillait sur sa sécurité lui avait expressément interdit de sortir à cheval afin de prévenir toute tentative d'assassinat, la première chose que fit le calife fut de prendre l'habitude de monter à cheval toutes les nuits et de se promener dans les grandes rues du Caire. Chacun chercha, à cette occasion, à se surpasser en illuminations et en décorations. On dépensait des sommes immenses en festins, en musiques et en divertissements. Comme on s'y livrait à tous les excès, al-Hakim défendit aux femmes de sortir durant la nuit. Puis, voulant que rien ne vînt entacher le côté festif de ses sorties, il fit interdire par décret tout travail après le coucher du soleil. Tout contrevenant était immédiatement supplicié. Ainsi, des rôtisseurs qui avaient osé braver l'interdit et faisaient chauffer leur four, comme auraient pu le faire des boulangers, furent aussi arrêtés et promptement jetés dans leur propre four.

Enfin, se lassant de cela, le calife eut l'idée de décréter l'inverse : tout travail était prohibé du lever au coucher du soleil. Cela lui permettait cette fois-ci de se promener en journée, dans des rues complètement désertées par les habitants condamnés à rester chez eux couchés.

En outre, la nuit, Le Caire devint une ruche éclairée de mille feux, et ce spectacle ravissait le calife, particulièrement sensible à la poésie de ce miroitement nocturne et laborieux. Voir son peuple travailler alors même qu'il pouvait savourer ses soirées en toute tranquillité était d'un raffinement particulièrement exquis.

Un autre de ses amusements fut d'écrire des billets et de les jeter tout fermés par les fenêtres. Parmi ces billets, les uns contenaient l'ordre de donner au porteur une certaine somme d'argent, les autres de lui faire subir un châtiment[5]. Ceux qui avaient ramassé ces billets les portaient au ministre qui était précisément chargé d'exécuter ce qu'ils contenaient, à la plus grande joie du calife qui se réjouissait ainsi des facéties que pouvaient offrir la chance et le hasard.

Cependant, ce prince un peu fantasque se rappela soudain au sentiment de ses responsabilités et se décida à mettre un terme aux futilités. En tant que calife, il était également chef religieux et il lui appartenait de faire régner la *hisba*, la loi de Dieu qui « commande le bien et préserve du mal ». Décidé à faire enfin preuve de sérieux, il tint à s'acquitter de sa tâche en interdisant toutes les boissons alcoolisées, mais aussi en fermant les hôtels borgnes, en interdisant la musique et en obligeant les femmes à renoncer à toutes leurs parures. Certaines femmes qui osèrent se rendre au bain, devenu lieu de débauche dans l'esprit du calife, y furent aussitôt emmurées vivantes.

Loin de s'arrêter à cette série d'ordonnances étranges, le calife décida un ensemble de mesures vexatoires contre les minorités religieuses : les églises du Caire furent transformées en mosquées, les monastères furent rasés, les chrétiens et juifs durent afficher des signes distinctifs et furent obligés de porter des ceintures et des turbans d'étoffe noirs afin qu'on puisse clairement les reconnaître comme non musulmans[6].

Cette sordide discrimination, qui aura une monstrueuse postérité, ira jusqu'à faire porter aux juifs une clochette afin qu'ils puissent être identifiés comme tels dans les bains publics et évités comme des pestiférés.

L'Égypte était chrétienne lorsqu'au VIIe siècle les Arabes conquirent le nord de l'Afrique, et l'assimilation, c'est-à-dire l'islamisation et l'arabisation, se fit lentement. Quand al-Hakim parvint au pouvoir, les musulmans étaient majoritaires. Dès lors, il était loisible de pratiquer ces mesures discriminatoires propres à affirmer son pouvoir comme « commandeur des croyants ».

Cependant, la colère du calife ne tarda pas à trouver d'autres objets. C'est ainsi qu'il fit noyer plusieurs de ses femmes, mutiler et assassiner nombre de ses serviteurs, parmi les plus dévoués, qu'il ordonna le massacre de tous les chiens du Caire. Furieux dévastateur exultant de la désolation qu'il répandait, le calife finit par éprouver sa plus grande joie en faisant mettre le feu à la ville, déclenchant un gigantesque incendie purificateur qui dura trois jours et entraîna la réduction en cendres d'un tiers de sa capitale.

« Ô vous, mon peuple ! Vous, mes fils véritables, ce n'est pas mon jour, c'est le vôtre qui est venu. Nous sommes arrivés à cette époque qui se renouvelle chaque fois que la parole du ciel perd de son pouvoir sur les âmes, moment où la vertu devient crime, où la sagesse devient folie, où la gloire devient honte, tout ainsi marchant au rebours de la justice et de la vérité.[...] À vous, enfants, cette ville enrichie par la fraude, par l'usure, par les injustices et la rapine ; à vous ces trésors pillés, ces riches volées. Faites justice de ce luxe qui trompe, de ces vertus fausses, de ces mérites acquis à prix d'or, de ces trahisons parées qui, sous prétexte de paix, vous ont vendus à l'ennemi. Le feu, le feu partout à cette ville[7]... »

Pourtant, pour remarquables qu'ils fussent, ces hauts faits n'auraient peut-être pas suffi à assurer la célébrité de ce calife s'il n'avait pris, après 21 ans d'un règne déjà bien rempli, une décision plutôt singulière.

En 1017, al-Hakim fit quelque chose d'aussi inattendu qu'inouï en se proclamant... Dieu. Une bizarrerie digne des empereurs romains qui fit les délices de Gérard de Nerval, toujours prompt à s'émerveiller des bouleversantes extravagances de l'Orient :

« Je n'adore personne, puisque je suis Dieu moi-même ! le seul, le vrai, l'unique Dieu, dont les autres ne sont que les ombres[8]. »

Pour l'époque et, plus encore, dans le contexte de l'islam, une telle prétention était non seulement une aberration, mais surtout un formidable blasphème. Cependant, en dépit de l'énormité de l'outrage fait à leur religion, l'autorité du calife était si grande, et la crainte qu'il inspirait, si vive, que ses sujets acceptèrent sans rechigner d'être gouvernés par une divinité.

Certains se convertirent même à la nouvelle foi et furent appelés Druzes, du nom de celui qui avait convaincu al-Hakim de sa nature divine, Muhammed ibn Ismaël al-Darazi. Cette situation dura trois ans, jusqu'à la disparition mystérieuse autant que définitive du souverain-dieu au cours d'une banale promenade en 1021, après 25 années de règne.

« *Le petit lézard est devenu grand dragon.* »
AL-HAKIM

1   Non traduite par Antoine Galland, on trouvera l'histoire du calife Hakem dans les *Contes inédits des mille et une nuits* de Joseph von Hammer, éditions Librairie-orientale de Dondey-Dupré père et fils, 1828.
2   Appelé aussi « Hakem », même si son nom complet en arabe était : al-ḥākim bi-amr allah al-manṣūr ismāʿīl ben al-ʿazīz ben al-muʿizz li-dīn allah maʿd al-fāṭimīy.
3   Antoine Isaac Silvestre de Sacy, *Exposé de la religion des Druzes*, t. I, L'Imprimerie royale, 1868, p. 293.
4   Ibid., p. 293.
5   Ibid., p. 424.
6   Ibid., p. 308 et p. 360.
7   Gérard de Nerval, « Histoire du calife Hakem », dans *Voyage en Orient*, Folio Gallimard, 1998, p. 502-503.
8   Ibid., p. 478.

Hongwu Ming,
la fureur du dragon

À découvrir la vie du fondateur de la dynastie Ming, on se croirait plongé dans le roman d'Octave Mirbeau, *Le Jardin des supplices*. Seulement, si l'écrivain a parfois éprouvé « l'âpre désir de tuer », les horribles tortures dont il ne nous épargne aucun détail ne sont que le fruit de l'imaginaire fécond et un peu perturbé d'un grand romancier.

Ainsi, le fameux supplice du rat qui troubla fortement un patient de Freud, « l'homme aux rats », n'est en rien un supplice chinois, mais l'invention[1] d'un auteur exalté par sa propension à choquer le bourgeois de la médiocre Troisième République. Pour cela, rien de tel que de le plonger dans l'exotisme fantasmé de l'Extrême-Orient.

Un Extrême-Orient alors très populaire, car riche en prétextes destinés à justifier un colonialisme prétendant civiliser des mœurs restées barbares, même s'il en était certains pour admirer ces soi-disant châtiments ancestraux non édulcorés par un « humanisme pleurnichard et ridicule[2] ».

Une telle vision de la Chine était évidemment complètement faussée par les préjugés de l'époque. Elle l'était aussi par une littérature se complaisant dans l'exposition d'un Orient de luxe et de cruauté, où les plus grands raffinements côtoyaient les pires atrocités. Vision qui appartenait bien sûr à l'ordre de l'imaginaire, même si, comme bien des fantasmes, elle s'ancrait néanmoins dans la réalité de certains faits historiques.

À cet égard, l'empereur Hongwu (洪武³) fut un grand pourvoyeur d'histoires, toutes plus terribles les unes que les autres. Le plus terrifiant étant qu'elles furent avérées pour la plupart, alors même que l'existence bien réelle de ce dictateur chinois pouvait paraître plus appartenir au légendaire qu'à l'histoire.

Tout chez lui relevait du fabuleux, à commencer par son ascension et son accession au pouvoir, mais les faits extraordinaires qui allaient donner une dimension toute particulière à cet empereur, qui allait régner pendant trente ans, n'avaient assurément rien du conte de fées.

Il ne faisait pas bon vivre en Chine en cette première moitié du XIVᵉ siècle. Les envahisseurs mongols régnaient en maîtres sur le pays, réduisant les paysans chinois à l'état de bêtes de somme qui se tuaient à la tâche pour payer des tributs énormes à leur empereur.

Comme la famine décimait des régions entières, de nombreuses rébellions éclatèrent, la plus redoutable étant celle des Turbans rouges, une armée hétéroclite de paysans révoltés et de bandits opportunistes, fermement décidés à secouer le joug de l'envahisseur.

Humble paysan dans la province de l'Anhui, Zhu Yuanzhang, jeune orphelin d'une quinzaine d'années, hésita entre rejoindre cette armée et se faire moine pour échapper à la famine. Après avoir vu sa famille mourir de faim, il décida finalement de quitter son village et de prendre le chemin du temple. Cependant, une fois enfermé dans le monastère, l'adolescent se retrouva vite l'esclave et le souffre-douleur de religieux crasseux et ignares. Le crâne rasé, vêtu d'une vieille robe de son maître, le nouveau disciple de Bouddha passait ses journées à frotter les sols, à brûler de l'encens, à sonner les cloches, à battre le gong, à faire la cuisine, à laver les vêtements des autres moines  qui ne s'en montraient pas moins à son égard arrogants et mesquins.

Un jour qu'il s'était cogné contre les pieds d'un des dieux protecteurs, le jeune homme entra dans une grande colère et se mit à rosser la statue à coups de balai. Une autre fois, rancunier contre les divinités qui ne semblaient guère lui prêter attention, il écrivit au dos des statues : « Je t'exile au bout du monde[4]. » Ces deux incidents étaient révélateurs de l'orgueil du jeune novice qui n'hésitait pas, à une époque particulièrement superstitieuse, à s'en prendre même aux divinités.

Aussi, lorsque les moines, qui étaient également en proie à la faim, l'envoyèrent mendier pour leur compte dans les campagnes avoisinantes, Zhu ne le supporta pas et décida de quitter le monastère. Après quatre années d'errance, il avait compris que cette existence ne pouvait que le condamner à la misère :

« Je ne pouvais compter que sur mes propres forces. J'ignorais tout du monde, je ne savais rien faire. Mon ombre fut ma seule compagne. Tout espoir m'était interdit. Abandonné, humilié, mais stimulé par cet instinct de survie qui vous pousse à marcher sous la pluie, dans la neige, vers un but que vous n'imaginez même pas, je n'avais pour toute musique que le hurlement des singes qui, la nuit, dans les temps abandonnés où je trouvais refuge, m'empêchaient de dormir. Les souvenirs devenaient des cauchemars. Mes parents morts, mes frères, tous les membres de ma famille revenaient me hanter. Je me sentais comme un brin d'herbe courbé par la tempête, faible, ballotté par un destin qui ne se souciait guère de moi. La tristesse m'accompagnait partout où j'allais[5]. »

Il était temps de passer à l'action et il se décida à rejoindre l'armée rebelle des Turbans rouges qui fomentait des troubles dans sa région contre la dynastie régnante.

Bien sûr, rien ne prédestinait ce simple paysan, moine misérable et pauvre mendiant, à prendre la tête de cette armée révolutionnaire. Cependant, ce simple soldat parvint à s'imposer rapidement auprès de ses compagnons et grimpa un à un tous les échelons de la hiérarchie. L'ancien petit gardien de troupeau entama sa carrière militaire par une période d'entraînement, d'initiation aux arts martiaux et au maniement des armes.

Galvanisé par l'action et l'ambition, Zhu commença à se cultiver, à approfondir sa connaissance de l'écriture chinoise et à tisser de nombreux liens d'amitié avec ses camarades. Doté d'une bonne mémoire et d'une robuste constitution, il se fit rapidement remarquer par ses supérieurs qui, en le nommant chef de bande, eurent plusieurs fois l'occasion d'apprécier son sang-froid, sa maîtrise des situations et son esprit d'initiative.

Forçant l'admiration de tous par son sens de la stratégie et son respect pour la vie de ses hommes qu'il ne sacrifiait pas en vain, l'ancien misérable moine mendiant finit par obtenir le commandement de contingents importants et bénéficia des conseils éclairés d'hommes lettrés qui complétèrent son éducation et développèrent son ambition. Promu général, Zhu Yuanzhang se fit remarquer non seulement par ses nombreuses victoires, mais aussi par l'interdiction qu'il lança à ses hommes de piller les régions reconquises. Alors que la gloire militaire lui avait valu l'estime des soldats, ces nouvelles mesures lui firent gagner le soutien des populations.

En 1367, son destin bascula définitivement : profitant de sa grande popularité, il éclipsa tous les autres chefs rebelles, prit la tête des Turbans rouges et s'autoproclama empereur. Il ne lui restait plus qu'à marcher sur Pékin. Arrivé à la capitale, l'ambitieux général n'eut même pas à combattre. Amolli par une vie de plaisirs et de paresse, l'empereur mongol Shundi n'avait plus rien de la fougue guerrière de ses ancêtres et s'était empressé de prendre la fuite. Avec lui prenait fin la dynastie mongole vieille de quatre siècles.

À quarante ans, Zhu se retrouvait à la tête d'un des plus grands royaumes du monde. Premier empereur de sa dynastie, il prit le titre de Hongwu, « Prestige militaire surabondant[6] », et créa la dynastie des Ming. Il fit de sa femme l'impératrice Ma, et son fils devint prince héritier.

Comme il se doit, son accession au pouvoir suprême fut célébrée par une série de largesses. Les lettrés qui l'avaient conseillé devinrent ministres, ses amis furent pourvus de riches fiefs, et d'autres, nommés rois, l'empereur désignant des milliers de nouveaux nobles parmi ceux qui l'avaient accompagné.

Un empereur devait être un homme sage, vertueux, pondéré, et gérer son empire avec douceur et mansuétude. Aussi, suivant les conseils de ses lettrés, Hongwu s'efforça de se comporter en monarque éclairé et tolérant. Il fit la paix avec les Mongols encore installés dans le pays, leur garantissant la même protection et les mêmes droits qu'aux Chinois. Cependant, désireux de marquer le changement, il fit transférer la capitale du pays de Pékin (« la capitale du Nord ») à Nankin (« la capitale du Sud »). Des travaux gigantesques furent ordonnés pour embellir la cité : muraille, plantation d'arbres, percement de canaux… Deux cent mille ouvriers pendant 21 ans furent nécessaires pour réaliser les travaux. Le nouvel empereur entreprit également le recensement de la population, d'importants travaux d'irrigation, le développement des voies de communication et la consolidation des fortifications de la Grande Muraille. Il réorganisa également l'Administration en un système de gouvernement extrêmement centralisé s'appuyant sur une puissante bureaucratie.

Cependant, Hongwu ne put complètement oublier l'ancien seigneur de guerre qu'il fut. Le pays était pacifié, mais il n'ignorait pas que le pouvoir fraîchement conquis n'allait pas manquer de susciter des convoitises.

Ayant lui-même participé dans son passé à des complots, des trahisons et des assassinats qui lui avaient permis de supplanter ses rivaux, l'empereur commença à développer une véritable paranoïa et dévoila enfin sa véritable personnalité. Perfide, sans pitié et cynique, il allait exercer le pouvoir sans partage, avec une cruauté sans précédent, et devenir un des despotes les plus sournois et les plus tyranniques de l'histoire.

Obstiné à concentrer tous les pouvoirs entre ses mains, il se mit très rapidement à opprimer ses sujets, à les pressurer, les surveiller et les espionner de toutes les façons possibles. Chaque famille était chargée d'espionner neuf autres familles et d'en rapporter les moindres comportements suspects.

Et comme il craignait la puissance que pouvaient représenter les intellectuels et les riches propriétaires, il les exila en masse ou les fit exécuter selon son humeur du moment. Des dizaines de milliers de familles furent ainsi anéanties. Et, pour prévenir tout complot d'envergure, il plaça l'Empire entier sous haute surveillance et fit interdire la libre circulation au-delà d'un rayon de 50 kilomètres autour du domicile familial. Un voyageur surpris à franchir cette frontière invisible était condamné à recevoir cent coups de bâton agrémentés de trois ans de travaux forcés. La population entière était ainsi assignée à résidence.

Cependant, sa grande œuvre fut la publication d'un *Grand Livre des avertissements*, dans lequel il détaillait tous les supplices à pratiquer envers les opposants : eau bouillante, coups de bambou (dont l'empereur s'amusait même à préciser le diamètre « réglementaire » !), castrations, amputations, écorchements à vif et autres joyeusetés en tous genres y étaient de mise. Le plus terrible des châtiments consistait à tuer l'ennemi d'exactement 3357 coups de couteau, le bourreau se reposant tous les dix coups pour faire durer le martyr du condamné.

« Il y avait aussi le supplice du brossage : après avoir étendu le condamné dénudé sur un sommier métallique, on l'aspergeait d'eau bouillante et on l'étrillait avec une brosse de fer ; sa peau ébouillantée partait en lambeaux. Lorsqu'il était complètement écorché, le bourreau continuait à brosser sa chair à vif[7]. »

Hongwu avait cependant un péché mignon, une petite prédilection pour le supplice du pal. Une torture épouvantable au sujet de laquelle il fallait néanmoins reconnaître à l'empereur une certaine créativité. Raffiné, il ne se contentait pas d'embrocher sauvagement les condamnés sur un pieu, comme le fera plus tard l'authentique comte Dracula, le bien nommé Vlad III l'Empaleur.

Plus subtil, Hongwu Ming prenait soin de maintenir le malheureux accroché en hauteur par un crochet fixé à une vertèbre lombaire. C'était alors un plaisir tout à fait raffiné que d'attendre avec une sorte de frénésie nerveuse le moment où la vertèbre allait céder, faisant retomber lourdement le corps sur le pal dont la pointe acérée transperçait l'abdomen du condamné.

« Citons encore le supplice de la balançoire : on suspendait le condamné, le maintenant dans cette position grâce à une grosse pierre que le bourreau retirait de temps en temps ; le supplicié, alors, retombait lourdement sur le sol ; au bout de quelques heures, il avait les os brisés et le crâne fracassé[8]. »

On pourrait également mentionner un supplice spécialement réservé aux fonctionnaires corrompus : l'écorchement méticuleux du corps. Celui-ci demandait un grand doigté et un certain savoir-faire, dont la délicatesse et la maîtrise devaient permettre de conserver la peau intacte afin de pouvoir la déplier comme un drap et l'étendre sur le bureau de l'indélicat fonctionnaire de manière à prévenir d'autres manquements au devoir.

Tous les candidats à la fonction publique devaient étudier et connaître par cœur les quatre volumes de ce « manuel du bon sujet ». Gare au négligent qui ne se montrait pas capable de le réciter au mot près ! Et pendant leur formation longue de trois ans, les futurs fonctionnaires devaient en réciter cent mots tous les trois jours. Seule une parfaite connaissance des motifs de punitions[9] et des moyens de torture permettait de réussir l'examen final et d'être titularisé comme fonctionnaire[10].

Hongwu était évidemment le seul à avoir le droit d'improviser selon son bon vouloir.

Un jour qu'on lui présentait un redoutable chef ennemi coupable d'être parvenu à tuer un de ses meilleurs généraux, le prisonnier fit preuve d'arrogance en coupant court au discours moralisateur qu'il avait prévu de lui faire. « Tu as détruit mon pays, anéanti ma famille. Tue-moi si bon te semble, mais épargne-moi tes fariboles. »

C'était un souhait facile à réaliser, mais, pour l'empereur, le souvenir de son général mort au combat imposait un minimum de recherche et de raffinement dans la mort de son ennemi. Se souvenant d'un ancien supplice qui consistait à faire marcher un condamné sur une colonne de cuivre enduite de graisse et placée  à l'horizontale au-dessus d'un bûcher, il imagina une variante qu'il intitula « cheval de cuivre ». Couché de tout son long sur la colonne, le supplicié devait ramper au-dessus des flammes. Après avoir éprouvé l'efficacité de cette méthode sur le général qui brûla « comme une feuille morte », il fit naturellement subir le même sort à tous les fils de sa victime.

Dès lors, le meurtre devint en quelque sorte le but de son existence. Tuer, toujours tuer : jamais il ne s'en lassait. C'était son idée fixe, sa manie, son obsession et celle de son entourage, car il avait tellement assassiné, exterminé, écrasé, égorgé, décapité, éventré, que nul, à ses côtés, n'osait plus respirer.

Afin d'être plus efficace, il eut l'idée de créer un tribunal des châtiments qu'il présidait en personne : « Dès qu'il apparaissait dans la salle du trône, ses courtisans jetaient un œil à la ceinture de jade de leur souverain. S'il l'avait remontée très haut, presque sous les bras, cela voulait dire qu'il se sentait de belle humeur ; on pouvait dès lors espérer un nombre limité d'exécutions. Mais s'il portait sa ceinture sous le ventre, glissant ses mains à l'intérieur, chacun, à juste titre, tremblait et claquait des dents. Tous, dans ces moments-là, se disaient que leur dernière heure avait peut-être sonné[11]. »

Certains eurent cependant le courage de dénoncer les crimes de l'empereur, et l'on put trouver, ici et là, quelques écrits contestataires rédigés par les rares lettrés ayant survécu aux grandes purges : « Est-ce là l'honneur qu'un grand souverain rend à ses ancêtres ? »

Ce genre de questionnement ne laissait jamais Hongwu dans de longues introspections. Homme de pouvoir, il restait également un homme d'action sachant répondre au mieux aux doutes et aux craintes de ses sujets :

« Qu'on m'amène ce misérable pour que je l'écorche de mes propres mains[12] ! »

Puis, comme il avait compris à la lecture de ce rapport qu'il convenait de mieux éclairer son peuple, Hongwu prit le soin de publier un nouvel ouvrage : *Le Code de la grande dynastie des Ming.*

On y dressait notamment une liste de mots tabous dont l'emploi était passible de la peine de mort. Comme il détestait tout ce qui pouvait faire référence à ses origines modestes et à son ancien état monacal, tout ce qui rappelait ce passé et tout ce qui pouvait s'avérer insultant relevaient du crime de lèse-majesté.

Il fallait ainsi traquer jusque dans les missives de l'Administration les moindres signes de traîtrise et d'irrespect. On fit ainsi exécuter des lettrés soupçonnés, à tort, de se moquer de l'empereur par des allusions voilées, des jeux de mots. Dès que Hongwu trouvait dans les documents une formule qui, par sa consonance, pouvait faire référence au bonze, à la tonsure du bonze, au mendiant, au brigand, à la couleur rouge des manichéens, au cochon (homophonie entre *zhu* [豬], « cochon », et *Zhu* [朱], son nom de famille), il ordonnait l'exécution de l'auteur. Cela en était arrivé à un point que les lettrés, lorsqu'ils partaient le matin pour l'audience impériale, faisaient leurs adieux à leurs proches et rentraient le soir tout heureux et surpris d'avoir vécu un jour de plus.

L'empereur, quant à lui, réussit à avoir une longue existence.

Il est vrai que, persuadé que le sang des autres avait la vertu de régénérer le sien, il n'en fut jamais avare. Et ce fut à l'âge, exceptionnel pour l'époque, de 70 ans qu'il s'éteignit sereinement dans sa nouvelle capitale de Nankin. Pendant tout son règne, jamais il ne renonça à sa passion des complots démasqués et des exécutions rondement menées.

Finalement, les seuls crimes qu'il put regretter furent ceux, peu nombreux, qu'il n'avait pas commis :

« J'ai voulu éliminer la corruption de ma fonction publique. Mais lorsque je tuais, le matin, un fonctionnaire malhonnête, le soir même, il y en avait un autre pour le remplacer. » Et d'ajouter, avec un sourire mélancolique : « Il aurait fallu les tuer tous[13]. »

Après un règne long de trente ans, Hongwu laissera une très nombreuse descendance (25 garçons et 16 filles), mais restera surtout dans l'histoire de la Chine comme le créateur de la dynastie Ming, une des plus grandes dynasties chinoises.

L'historiographie traditionnelle n'oubliera pas de célébrer la bienveillance confucéenne de son gouvernement à l'égard des masses paysannes, son œuvre de reconstruction économique et de réorganisation sociale et ainsi que la durabilité de ses institutions.

> *« Soumettez-vous, et vous*
> *n'aurez rien à craindre. »*
> Hongwu Ming

Notes

1 Pour cela, Octave Mirbeau se serait peut-être inspiré de… Sade. En effet, on trouve à la fin des *Cent Vingt Journées de Sodome* une description précise de ce supplice qui laisse penser que le « divin marquis » en est l'inventeur. Ce qui ne fait que confirmer le fait qu'un tortionnaire est un être profondément sadique : « Au moyen d'un tuyau, on lui introduit une souris dans le con ; le tuyau se retire, on coud le con et l'animal ne pouvant sortir lui dévore les entrailles. »

2 Jean-Jacques Matignon, cité par Michel Delon dans la préface du roman d'Octave Mirbeau, *Le Jardin des supplices*, Gallimard, Folio, 1988, p. 16.

3 Hongwu est le nom d'ère que choisira Zhu Yuanzhang au moment de devenir empereur.

4 Wu Han, *L'Empereur des Ming*, Philippe Picquier, 1996, p. 25.

5 Ibid., p. 28-29.

6 Robert Van Gulik, *La Vie sexuelle dans la Chine ancienne*, Gallimard, 1961, p. 328.

7 W. Han, *L'Empereur*, op. cit., p. 178

8 Ibid., p. 179.

9 Le règlement interdisait, par exemple, toute critique sur la nourriture de l'école. Dire d'un plat qu'il était bon était coupable, car cela signifiait qu'il en existait de mauvais.

10 W. Han, *L'Empereur*, op. cit., p. 160.

11 Ibid., p. 179-180.

12 Ibid., p. 186.

13 Ibid., p. 209.

Ivan le Terrible,
premier des tsars
et dernier des pères

Après la révolution sanglante qui conduisit au renversement du régime tsariste et à l'exécution par les bolcheviques de la famille Romanov en 1918, on ne pouvait guère s'attendre de la part des révolutionnaires communistes à ce que fût célébrée la mémoire d'un tsar. Pourtant, Staline, bien que peu enclin à rendre hommage à ses prédécesseurs, glorifia une figure bien particulière de leur histoire : Ivan IV le Terrible[1].

Alors qu'il détestait l'ancienne aristocratie russe, il ne put s'empêcher d'être particulièrement sensible à l'habileté de ce tsar à manier la violence arbitraire et à construire un pouvoir personnel fort auquel aspirait le nouveau maître du Kremlin. Et si aujourd'hui on en garde l'image d'un tyran sanguinaire et fou, Ivan IV reste en Russie une figure de la grandeur nationale, un autocrate autoritaire et ambitieux qui fut à l'origine de la montée en puissance de Moscou, se montra capable de moderniser l'Administration et d'étendre l'Empire à des frontières jusque-là jamais atteintes.

Il est vrai que, sous son règne (1547-1584), Moscou connut une expansion territoriale sans précédent. À l'est, après avoir fait la conquête du khanat de Kazan, dernier bastion de la puissance mongole, le tsar fit celle d'Astrakhan en 1554 et permit ainsi à la Russie d'avoir accès à la Volga. Quelques années plus tard, il envoya une troupe de cosaques affronter le khanat de Sibérie afin de préparer l'annexion de la Sibérie.

À l'ouest, ses troupes réussirent à envahir la Livonie[2] avant de devoir se replier devant une coalition menée par les Chevaliers teutoniques, la Pologne et la Suède.

Les premières victoires de son règne furent décisives puisque ce fut après avoir écrasé les Tatars qu'Ivan put être couronné tsar. Ce titre donné autrefois aux empereurs romains le parait du prestige de l'Empire romain. Mieux, ce *Caesar* (*Kaiser* en langue allemande), faisait également référence au titre donné aux rois de Judée, de Babylone ou d'Assyrie dans les livres saints de langue slavonne. En succédant au « tsar David », au « tsar Assuréus » et même au « tsar Auguste », Ivan IV ajoutait au prestige de l'Empire romain, celui de l'Empire byzantin et celui de la Bible et en faisait une sorte de chef de la Troisième Rome, la « Deuxième Rome » étant tombée lors de la prise de Constantinople[3] par les Ottomans en 1453.

Grâce au nouveau tsar, Moscou devenait la « troisième », ce qui lui donnait une importance particulière dans la mesure où un moine avait prophétisé qu'elle serait la dernière : « Et maintenant sur la terre entière rayonne, plus éblouissante que le soleil, la sainte Église catholique apostolique de la Troisième Nouvelle Rome, votre puissant Empire [...], et il n'y en aura plus une quatrième[4]. »

Après Moscou, le déluge, ou plutôt la fin des temps.

Aussi, en se faisant couronner tsar par le patriarche de Constantinople, Ivan IV s'arrogea le prestige que lui donnait une sorte de légitimité spirituelle qui pouvait permettre de prétendre à la suprématie universelle.

Le rêve absolu pour un autocrate particulièrement ambitieux.

Pourtant, en comparaison de Londres ou Paris, Moscou avait presque des allures de petite ville de province, puisqu'elle ne comptait environ que 100 000 habitants pour un royaume presque grand comme la France. Pour Ivan, il convenait donc de donner à sa capitale un lustre qu'elle n'avait pas. Pour cela, il envisagea d'édifier une quatrième cathédrale sur la place Rouge, la célèbre Saint-Basile-le-Bienheureux.

La bienveillance n'excluant pas la prévoyance, afin d'éviter que fût dupliquée cette merveille, il ordonna que l'on crève les yeux de tous les architectes ayant œuvré à la construction de l'édifice. Geste qui allait inaugurer un régime despotique et brutal, le tsar ne gouvernant plus que par l'arbitraire et la terreur.

Il était en cela l'héritier d'une longue tradition de violence politique. On a d'ailleurs beaucoup insisté sur l'influence de scènes particulièrement sanglantes qui eurent lieu durant son enfance et qui influencèrent très certainement la personnalité du jeune Ivan. Son père Vassili III ayant commis le sacrilège de se remarier, la naissance d'Ivan fut accompagnée de mauvais présages et de malédictions de la part de religieux extrémistes :

« Vassili, si tu contractes un second mariage, tu auras un fils méchant ; tes États seront en proie à la terreur et aux larmes ; des ruisseaux de sang vont couler ; les têtes des grands tomberont ; tes villes seront dévorées par la flamme[5]. »

Lorsque Vassili III mourut en 1533, Ivan n'avait que trois ans et on installa une régence qui entraîna toute une succession de révolutions de palais, de complots de la noblesse et de tueries.

Hélène, sa mère, disparut à son tour en 1538, et les luttes pour le pouvoir redoublèrent, avec leur cortège d'intrigues, d'emprisonnements, d'exils et de mises à mort. Tout ce que le garçon vit et entendit dans le palais lui enseigna la cruauté et la ruse, que la faiblesse était à la fois une erreur qu'on ne pouvait pardonner et un crime qu'il fallait punir.

« Nos boyards[6] gouvernaient le pays à leur fantaisie, car personne ne s'opposait à leur pouvoir… Je grandis… Des gens qui m'entouraient, je m'appropriai les pratiques tortueuses, j'appris à ruser comme eux[7]. »

Cela lui donna également le goût des jeux sanguinaires. Observant les sévices que les adultes faisaient subir à leurs semblables, le jeune Ivan se prépara à les imiter en tourmentant les animaux.

Plus tard, quand il aura à sa disposition tous les montreurs d'ours, les saltimbanques, les ventriloques venus de tout l'Empire pour le distraire, il ne goûtera rien tant que le spectacle délicieux d'un homme cousu dans la peau d'un grand chien, mis en pièces et dévoré par les ours.

À 13 ans, Yvan commit son premier acte politique en se débarrassant d'un prince qui cherchait à usurper le pouvoir : il le fit arrêter et assassiner. Plus tard, son caractère s'affirma, l'adolescent n'hésitant plus à faire couper la langue d'un proche pour un simple mot irrespectueux.

Cependant, un heureux événement allait tempérer pour un temps sa fureur sanguinaire. Il épousa à 17 ans Anastasie Romanovna[8], une femme douce et intelligente qui allait exercer une influence bienveillante sur son époux.

La cérémonie fut naturellement célébrée par le patriarche :

« Vous voici réunis à jamais en vertu des mystères de la Sainte Église. Prosternez-vous donc ensemble devant le Très-Haut et vivez dans la pratique des vertus. Celles qui doivent vous distinguer surtout sont l'amour de la vérité et la bonté. Tsar, aimez et honorez votre femme. Et vous, tsarine, vraiment chrétienne, soyez soumise à votre époux, car, comme le saint Crucifix représente le chef de l'Église, ainsi l'homme est le chef de la femme. »

Hélas, le tsar ne parut retenir de cette bénédiction que la dernière phrase.

Une des premières lois qu'il fit écrire fut le *Domostroï* (Домострой), le « ménagier », un recueil d'usages domestiques donnant à la petite noblesse et à la bourgeoisie naissante les règles de la vie familiale et sociale. Des règles pour le moins archaïques :

« Si tu aimes ton fils, donne-lui des coups et souvent ; à la fin, il fera ta joie… Ne ris pas avec lui, ne joue pas avec lui, car, si tu faiblis par les petites choses, tu souffriras dans les grandes… Brise-lui le cœur pendant qu'il grandit, car, s'il s'endurcit, il ne t'obéira pas[9]. »

Jugé sans doute trop rétrograde, il sera remplacé dans les années 1960 par un « Manuel pour femmes au foyer » (Домоводство) :

« Souvenez-vous que, lorsque votre mari rentre de son travail, vous devez l'accueillir tous les jours. Préparez les enfants, lavez-les, coiffez-les et habillez-les dans des vêtements propres et élégants. Ils doivent se mettre en rang pour saluer leur père quand il ouvre la porte. Pour cette occasion, vous devez vous faire belle vous-même et mettre un tablier propre. Par exemple, attachez vos cheveux avec un joli ruban. Il ne faut discuter avec le mari : souvenez-vous combien il est fatigué et à quoi il est soumis tous les jours en allant au travail pour vous. Tout en vous taisant, donnez-lui à manger et, seulement après sa lecture du journal, vous pouvez essayer de lui parler. »

Du même livre, conseils pour les maris :

« Après avoir fait sexe avec votre femme, vous devez lui permettre d'aller dans la salle de bains, mais vous ne devez pas la suivre, laissez-la seule. Peut-être qu'elle veut pleurer. »

Ce qui, en matière de mœurs et de comportement, représentait tout de même un grand progrès comparé au *Domostroï* du XVIᵉ siècle qui recommandait de corriger régulièrement la femme de manière à ce qu'elle restât malléable et docile.

On poussait cependant la précaution jusqu'à préciser qu'il convenait de ne pas frapper la coupable à la tête et qu'il était préférable de se servir du fouet plutôt que d'un bâton ou d'un objet en fer.

Cependant, si à cet égard le tsar voulut se montrer un législateur avisé, il se révéla incapable d'appliquer à sa propre personne ses principes élémentaires de savoir-vivre.

Non seulement il fut un tyran pour son peuple, mais aussi pour sa famille. Marié huit fois, il se montra un homme violent et colérique avec ses épouses et ses enfants. Et ce sera dans un de ses nombreux accès de fureur qu'il tuera d'un coup de bâton son fils aîné, Ivan Ivanovich, né de sa première femme, sa « petite génisse » qu'il aima jusqu'à sa mort prématurée en 1560.

Il est vrai que, fou de douleur et de rage après la disparition de sa bien-aimée, le tsar s'adonna à l'ivrognerie et, sombrant dans le désespoir, laissa libre cours à ses pulsions les plus meurtrières. Alors que son instabilité psychique ne faisait déjà aucun doute avant la mort d'Anastasie, sa cruauté ne connut plus aucune limite. Une cruauté extrême qui lui vaudra ce surnom de « Terrible[10] ».

Il se mit à assassiner en masse et indifféremment les nobles, les chrétiens, les juifs, les musulmans, et fit couler des flots de sang, dans lesquels il se baignait avec volupté. Il aimait torturer les gens et jouir de leurs souffrances. Leurs supplices ne duraient jamais assez longtemps et n'étaient jamais assez raffinés à ses yeux.

Décidé à faire preuve en la matière d'une grande inventivité, il multiplia les façons de tuer et de faire souffrir ses sujets : son médecin personnel fut rôti sur une broche, des nobles furent livrés à ses chiens de chasse, l'abbé de Psok fut écrasé sous une meule, son trésorier, arrosé alternativement d'eau bouillante et d'eau glacée, « si bien que la peau se détacha comme celle d'une anguille »…

« Selon le tsar, rien n'est plus instructif pour un esprit curieux des mystères humains que les réactions d'une victime sans défense aux prises avec la douleur et la mort. Même pour un familier des chambres de torture, le plaisir est toujours inédit. Sous l'effet de la souffrance, les visages habitués à feindre l'indifférence, la morgue, la courtoisie, le courage se disloquent. Les masques tombent. La bête apparaît derrière l'homme. C'est aussi excitant que le déshabillage d'une vierge qui se débat et crie[11]… »

Il va élever le massacre à l'état d'une institution, et aucun monarque avant lui ne déchaîna une si épouvantable terreur. Pour cela, il s'appuya sur une milice totalement à sa dévotion, les *opritchiniki*, spécialistes de toutes les atrocités, tout vêtus de noir, portant à leur selle une tête de chien et un balai (symboles de leur mission qui était de mordre et de balayer tous les ennemis de leur maître), se considérant au-dessus des lois, torturant, violant, incendiant et prononçant ce serment extraordinaire : « Je jure d'être fidèle au tsar et à son empire, aux jeunes tsarévitchs et à la tsarine, et de révéler tout ce que je sais ou puis savoir de toute entreprise dirigée contre eux par les uns ou les autres. Je jure de renier ma lignée et d'oublier père et mère[12]. »

Plus ils étaient exécrés du peuple, plus le tsar leur témoignait sa confiance.

S'ils étaient aussi craints et aussi détestés, cela signifiait qu'ils lui étaient fidèles. Il eut alors plaisir à les récompenser et à les encourager en leur allouant les biens arrachés aux traîtres.

Cependant, le tyran, monstrueux dans les grandes circonstances de la vie, se montrait odieux et méprisable dans les petites. Pire, il était encore plus terrorisé que terroriseur. Très tôt, il fut saisi d'une anxiété maladive. Il ne supportait pas le son d'une cloche la nuit. Plutôt que de vivre au Kremlin, il se terrait à Alexandrovskaïa Sloboda, dans un palais entouré de fossés et de remparts. La seule vue d'une étoile filante l'épouvantait à le paralyser.

À 34 ans, le tsar était devenu un vieillard avec son visage de cauchemar, livide, fripé, sa prunelle funèbre, son front sillonné de soucis, son dos courbé, sa poitrine creuse.

Il vivra cependant encore vingt ans, jusqu'en 1584, trouvant la mort non pas sur un champ de bataille ou assassiné par ces nobles qu'il avait tant craints, mais en jouant tranquillement aux échecs.

La seule lutte à laquelle il se livrât et qui ne fût pas sanglante.

« J'ai infligé beaucoup de châtiments
et ce pénible devoir a déchiré mon cœur. »
IVAN LE TERRIBLE

1 Ce qu'il fit en commandant au grand cinéaste Sergueï Mikhailovitch Eisenstein un film sur Ivan.
2 Correspondant aux actuels pays Baltes.
3 L'*Istanbul* turc que nous connaissons s'appela d'abord *Byzance*, puis *Constantinople* jusqu'à la chute de l'Empire byzantin. Pour les Slaves, elle était *Tsarigrad*, la « ville (*grad*) de César (*tsar*) ».
4 Philotée de Pskov, dans une lettre adressée à Vassili III, grand-prince de Moscou et père d'Ivan IV le Terrible.
5 Henri Troyat, *Ivan le Terrible*, Flammarion, 2007, p. 10-11.
6 Noblesse russe.
7 H. Troyat, *Ivan le Terrible*, op. cit., p. 24.
8 La dynastie des Romanov, qui prit le pouvoir en 1613, était issue de cette famille.
9 H. Troyat, *Ivan le Terrible*, op. cit., p. 54.
10 Il serait cependant plus juste de le qualifier de « Terrifiant », selon une traduction plus littérale du mot russe розный (*Grozny*).
11 H. Troyat, *Ivan le Terrible*, op. cit., p. 165.
12 Arthur Conte, *Les Dictateurs du XXᵉ siècle*, Robert Laffont, 1984, p. 172.

Robespierre, cœur de pierre, cou tendre

Petit-bourgeois un peu terne, médiocre avocat de province partisan de l'abolition de la peine de mort, homme timoré qui manquait de défaillir à la vue d'un poulet qu'on tuait, Maximilien Robespierre n'avait rien pour devenir le chef charismatique et le tyran sanguinaire de la Terreur révolutionnaire.

Rien, excepté une certaine aptitude à entretenir des réseaux.

En effet, c'est en faisant partie de plusieurs clubs et d'académies diverses qu'il commença à tisser sa toile tout en faisant son apprentissage de militant et d'orateur. Dans l'intimité de ces cercles où les adhérents étaient tout acquis à sa cause, sa pauvre voix criarde pouvait y exprimer librement ses idées prérévolutionnaires.

C'est ainsi que le fade homme de loi apprit peu à peu à devenir un meneur populaire.

Seulement, cela ne pouvait suffire à faire une carrière politique.

Il fallait également ce talent très particulier à sentir le vent tourner, épouser une cause lorsqu'elle commen-

çait à avoir du succès en prétendant être à l'origine de ce succès.
Alors qu'il était royaliste en
1789, Robespierre se dépêcha
de devenir républicain sous la
Législative, puis Montagnard
sous la Convention. Oublieux de
ses anciennes convictions, il put
jouer un rôle de premier plan dans
le procès et la condamnation à
mort du roi. Et le 21 janvier 1793,
l'ancien royaliste cria un peu plus
fort que tout le monde quand tomba le couperet de la
guillotine sur la nuque de Louis XVI :

« À mort le tyran ! À bas tous les tyrans ! »

Une stratégie payante, puisqu'il fut rapidement élu
président de l'Assemblée. Il redoubla alors d'activités
et de duplicité, se mettant à flatter les forts, menacer les
faibles, mais en ayant constamment un œil sur tout le
monde. Il se livrait désormais corps et âme à la politique,
obéissant en cela à la vieille maxime d'un autre révolutionnaire régicide, Cromwell : « C'est celui qui sait où il
va qui monte le plus haut. »

On ne lui connaissait d'ailleurs aucune autre passion.
Aucun de ces vices dont sont familiers les hommes de
pouvoir. Cela le rendait d'autant plus dangereux. Alors
que d'autres profitaient des troubles pour s'enrichir,
Robespierre restait l'incorruptible s'enivrant de scs
propres vertus.

« Il ira loin, car il croit tout ce qu'il dit », avait prophétisé Mirabeau.

Le pouvoir est un grandissement de soi-même. Hélas,
ce n'est pas une élévation verticale vers ce qui est beau et
noble, mais une hypertrophie, une boursouflure de l'ego

s'étendant d'une façon horizontale et affectant tous ceux qui s'en nourrissent. Pour se grandir, Robespierre voulut être un pur. Un idéaliste aussi incorruptible que le métal le plus noble, même s'il était loin d'avoir un cœur d'or.

Si dans un premier temps l'homme fut un promoteur précoce du suffrage universel, se battant pour faire adopter par la Convention la première abolition de l'esclavage, se prononçant pour le vote des juifs, ces mérites furent vite effacés par l'ampleur de sa responsabilité dans la multiplication des crimes de la Terreur.

Le révolutionnaire avait choisi de s'endurcir et de se fermer à tout sentiment. L'émotion était devenue synonyme de faiblesse. Il devint donc insensible, ombrageux et violent, se disant « saoul des hommes » et prônant la « Terreur sans laquelle la vertu est impuissante ».

Un dégoût pour l'humain qui allait considérablement lui faciliter la tâche lorsqu'il lui fallut tout mettre en œuvre pour « exterminer les rebelles vendéens », qu'il qualifiait de « bouseux » et en qui il ne voyait que des brigands en devenir. Le 19 mars 1793, la Convention créa un « tribunal d'abréviation » chargé d'expédier les procédures contre les insurgés en les envoyant systématiquement à la mort, même s'ils avaient déposé les armes.

Cette « exécrable Vendée » formée d'un « ramas sans figure humaine » devait être matée. Cela put l'être par un autre vote ordonnant la destruction totale du territoire insurgé et la déportation des populations civiles, ce qui allait se faire par un génocide de 300 000 victimes.

Robespierre n'était donc pas uniquement un théoricien de la Terreur, il aimait également être un homme d'action, même si cela impliquait parfois de s'en prendre à ses propres amis.

Au sommet, il n'y a jamais de place que pour un seul homme.

Danton et Desmoulins furent arrêtés et guillotinés. Puis, cet homme qui détestait les prêtres et la religion chrétienne décida de remplacer le catholicisme par une religion civile incorporée à l'État et incarnée… par lui-même !

Le culte de l'être suprême fut institué. Des fêtes furent organisées, où l'on chantait le « Père de l'univers, suprême intelligence ». Robespierre venait de troquer la monarchie contre une théocratie, libérant le peuple de l'oppression des rois pour l'asservir à son propre joug : « Le tyran est un héros qui tourne mal. On l'appelle comme un sauveur et il s'impose comme un autocrate. Là où le roi traditionnel a des sujets, lui ne veut que des esclaves[1]. »

C'était une consécration pour Robespierre, considéré par les plus exaltés comme un « ange tutélaire » et une « divinité suprême ». Mais cette idylle céleste ne pouvait durer éternellement. La guillotine reprit du service, coupant les têtes et toute idée jugée réactionnaire.

Mais punir les traîtres et épurer le Comité de salut public n'était pas suffisant. Dans l'ombre, d'autres complots se tramaient, dont cette fois-ci Robespierre allait être la victime.

Le 9 Thermidor an II[2] vota un décret d'accusation contre Robespierre. Après une première arrestation, le révolutionnaire se retrouva libre et organisa une Commune dissidente pour fomenter une nouvelle insurrection destinée à renverser le gouvernement.

Cependant, ayant conscience du danger, les députés se hâtèrent à prendre de nouvelles mesures contre le despote et votèrent cette fois-ci une mise hors la loi.

C'était condamner à mort Maximilien Robespierre.

Celui-ci avait trouvé refuge à l'Hôtel de Ville pour y délibérer de la situation. Il s'agissait de prendre une décision prompte. Presque tous ses amis étaient d'avis qu'il fallait déclencher au plus vite l'insurrection. On dicta une proclamation que signèrent plusieurs révolutionnaires. Robespierre prit la plume à son tour. Il hésitait. Quelques minutes précieuses s'écoulèrent. Enfin, il se décida et il avait déjà tracé les deux premières lettres de son nom lorsque la plume lui tomba des mains.

Les troupes de la Convention venaient d'encercler la maison.

On entendit retentir le cri de : « Vive la Convention nationale ! » Maximilien et les autres conjurés étaient perdus. Les soldats traversèrent la grande salle et pénétrèrent dans celle du secrétariat.

La suite est un peu confuse.

Dès qu'ils entrèrent, Robespierre se serait donné un coup de pistolet dans la bouche et en aurait reçu en même temps un d'un gendarme. On entendit aussitôt crier de toutes parts : « Robespierre s'est brûlé la cervelle ! »

Le gendarme Merda, responsable du coup de pistolet, fit plus tard cette déposition :

« … Je monte rapidement et je suis déjà à la porte de la salle de la Commune. Les conjurés sont assemblés dans le secrétariat et les approches fermées. J'entre dans la salle du Conseil, en me disant ordonnance secrète ; je prends le couloir à gauche ; dans ce couloir, je suis assommé de coups par les partisans des conjurés, qui ne veulent pas me laisser passer ; je parviens cependant jusqu'à la porte du secrétariat ; je frappe plusieurs fois ; enfin, la porte s'ouvre[3]… »

Il pénétra, au milieu du tumulte, dans la salle et vit « une cinquantaine d'hommes dans une grande agitation »… Il reconnut aussitôt Robespierre : « Il était assis dans un fauteuil, ayant le coude gauche sur les genoux et la tête appuyée sur la main gauche… »

Le gendarme sauta sur lui, et, lui mettant la pointe de son sabre au niveau du cœur, lui dit : « Rends-toi, traître ! » Robespierre répliqua : « C'est toi qui es un traître, et je vais te faire fusiller. »

À ces mots, Merda prit de la main gauche un de ses pistolets et tira.

« Je croyais, dit-il, le frapper à la poitrine ; mais la balle le prend au menton et lui casse la mâchoire inférieure… Il tombe dans son fauteuil[4]… »

Le lendemain, vers 10 heures du matin, le blessé fut transporté sur une civière jusqu'à l'antichambre du Comité de salut public et étendu sur une table :

« Le malheureux, le visage pâle, la tête ouverte, les traits hideusement défigurés, rendant à gros bouillons le sang par les yeux, les narines et la bouche, reçut là les injures, les reproches, les malédictions de ceux qui l'environnaient : il parut souffrir avec patience la fièvre brûlante qui le dévorait, les douleurs aiguës qui torturaient tout son corps ; il ne lui échappa aucune plainte ; il ne répondit à aucune des questions que lui firent ses collègues du Comité. Il resta deux heures parmi eux dans cette attitude de souffrance[5]. »

Il tenait encore à la main une sacoche de cuir avec l'estampille du fabricant, AU GRAND MONARQUE, et essuyait de temps en temps sa plaie avec un tampon de papier froissé. Autour de lui, c'étaient un défilé de curieux et une litanie de sarcasmes du genre : « Alors Sa Majesté a perdu la parole[6] ! »

On finit par le soigner : « Pansez-le, et surtout mettez-le en état d'être puni[7] ! »

Deux « médecins et chirurgiens militaires » requis s'employèrent à traiter la blessure. Ils lui glissèrent une clé dans la bouche, pour la maintenir ouverte, constatè-rent que le maxillaire inférieur gauche était brisé et retirèrent avec une pince les débris d'os et de dents. Après avoir épanché le sang et exploré la plaie, ils arrangèrent un bandage qui maintenait la mâchoire. Quand le bandage fut noué autour de son crâne, les plaisanteries reprirent : « Le diadème de Sa Majesté ! Mais non ! Il est coiffé comme une religieuse[8] ! » Un de ses bras tomba, que quelqu'un replaça sur la table : « Merci, monsieur », aurait dit Robespierre, d'après Michelet, mais il était, semble-t-il, hors d'état de parler. En revanche, il voulut écrire et fit un signe pour demander une plume. « Quoi ! Écrire ! ricana-t-on. Et à qui donc ? Vas-tu écrire à ton être suprême[9] ? »

Il fut ensuite transporté dans un fauteuil au Tribunal révolutionnaire. L'audience ne traîna pas : simple reconnaissance d'identité avec exécution immédiate de la sentence de mort.

Comme un récent décret avait ordonné que les exécutions aient désormais lieu place de la Révolution, on organisa un cortège pour mener les condamnés à l'échafaud.

« Jamais on n'avait vu une telle affluence de peuple. Les rues étaient engorgées. Des spectateurs de tout âge, de tout sexe, remplissaient les fenêtres ; on voyait des hommes montés jusque sur le faîte des maisons. L'allégresse était universelle. Elle se manifestait dans une sorte de fureur. Plus la haine qu'on portait à ces scélérats avait été comprimée, plus l'explosion en était bruyante[10]. »

Cruelle ironie pour le dictateur déchu, Robespierre portait le même habit que le jour où il avait triomphalement proclamé l'existence de l'Être suprême au Champ-de-Mars. Ce détail n'échappa pas aux spectateurs et déclencha de grandes manifestations de joie :

« Chacun applaudissait avec ivresse, et semblait regretter de ne pouvoir applaudir davantage[11]. »

Robespierre était à ce moment-là bien moins fringant. Son visage était en grande partie recouvert par un linge ensanglanté, ses traits livides et défigurés, les yeux presque fermés, la tête pendant mollement sur sa poitrine, jusqu'au moment où, alors qu'il semblait plongé dans une sorte de léthargie, il en fut tiré par une femme qui avait fendu la foule et s'agrippait aux barreaux de la charrette en l'insultant :

« Monstre, vomi par les enfers, ton supplice m'enivre de joie[12] ! »

Cela semblait assez bien résumer le sentiment général. Dans cette foule compacte et haineuse, peu nombreux devaient être ceux à n'avoir pas eu des membres de leur famille emprisonnés ou exécutés par la Terreur révolutionnaire.

Voir ainsi défiler à son tour leur bourreau assouvissait en eux un profond désir de vengeance. Désir au fond duquel s'était allumée une faible clarté, l'espérance de voir se terminer cette ère de fureur et de sang.

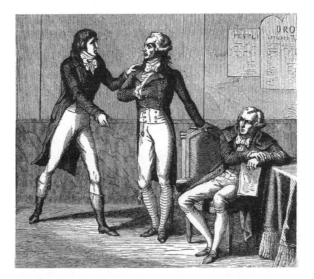

« Monstre abominable, je n'ai qu'un regret, c'est que tu n'aies pas mille vies pour jouir du plaisir de te les voir toutes arracher l'une après l'autre[13]. »

Cette femme inconnue, dont on pouvait présumer qu'elle avait été privée d'un époux ou d'un fils, accompagna le condamné jusqu'au pied de l'échafaud, et ses paroles furent probablement les dernières qu'entendit le despote : « Va, scélérat, descends au tombeau avec les malédictions de toutes les épouses, de toutes les mères de famille[14] ! »

En tant que « célébrité », Robespierre aurait dû être guillotiné le dernier de la charrette, mais, après l'exécution de Couthon et de son frère Augustin, le « monstre » perdit connaissance et on craignit qu'il ne passât avant d'être châtié ; alors, on avança son tour, et les assistants du bourreau le hissèrent sur la planche.

À ce moment, un des aides, par malice, et sans doute un peu par cruauté, lui arracha son bandage trempé de sang : « La mâchoire inférieure se détacha alors, laissant jaillir des flots de sang », et ce fut par un hurlement de bête que se termina la Terreur.

Après avoir jeté le corps de Robespierre à la fosse commune, on y répandit de la chaux vive afin qu'il ne reste aucune trace du « tyran[15] ».

La disparition de Robespierre donna lieu à de nombreuses épitaphes, dont celle-ci :

> *Passant, ne pleure pas sur ma mort :*
> *Si je vivais, tu serais mort.*

> « *Le gouvernement ne doit aux ennemis*
> *du peuple que la mort.* »
> Maximilien de Robespierre

1 Ibid., p. 16.

2 Le 27 juillet 1794.

3 Camille Desmoulins, *Causes secrètes de la journée du 9 au 10 Thermidor an II*, Baudouin frères, 1825, p. 584.

4 Ibid., p. 584-585. Cette action d'éclat aurait valu au gendarme Merda de monter en grade et d'obtenir la permission de supprimer le « r » de son nom.

5 Montjoie, *Histoire de la conjuration de Maximilien Robespierre*, Paris, 1801, t. II, p. 120.

6 Isabelle Bricard, *La Mort des grands hommes : dictionnaire historique*, Le Cherche midi, 2013, p. 478.

7 Jean Artarit, *Robespierre ou l'impossible filiation*, La Table Ronde, 2003, p. 407.

8 I. Bricard, *La Mort*, op. cit., p. 478.

9 Ibid., p. 478.

10 Des Essarts, *La Vie et les Crimes de Robespierre et de ses principaux complices*, Delance, 1797, p. 152-153.

11 Ibid., p. 154.

12 Ibid., p. 155.

13 Ibid., p. 156.

14 Id. L'emphase imprécatoire semble un peu trop recherchée, mais Des Essarts, qui la rapporta dans son ouvrage, fut un témoin direct des faits. Avocat et politique comme Robespierre, Nicolas-Toussaint des Essarts fut un de ces députés à s'opposer avec constance aux exactions et aux actes de despotisme commis au nom de la Révolution et n'eut de cesse de dénoncer Robespierre comme « le plus hypocrite, le plus lâche, le plus féroce des monstres à figure humaine », le « plus exécrable des tyrans qui ait paru sur la scène du monde pour le malheur de l'humanité ».

15 Cela ne fut sans doute pas suffisant, car aujourd'hui encore, en France, une centaine de rues portent son nom, ainsi que plusieurs lycées et collèges.

Lénine, ténor du barreau
ou mentor des bourreaux ?

Quand Vladimir Ilitch Oulianov quitta Samara pour s'installer à Saint-Pétersbourg, en septembre 1893, il ne pouvait imaginer un seul instant que la capitale du tsar serait rebaptisée Leningrad à sa mort, en 1924, en l'honneur du nom qu'il porterait un jour. Certes, il ne manquait pas d'ambition, mais il imaginait plus se faire un nom dans les salons de l'aristocratique cité plutôt que de laisser le sien dans l'histoire de l'humanité.

« Saint-Pétersbourg, à nous deux maintenant ! »

La lutte pouvait commencer, mais le Rastignac russe allait devoir patienter pour assister à son triomphe. Dans l'immédiat, ce furent plutôt « les illusions perdues d'un grand homme de province à Saint-Pétersbourg ». Grâce à une recommandation, le jeune Vladimir avait réussi à trouver une place d'avocat stagiaire à l'étude de Me Gérard Wolkenstein, mais il n'y fit guère impression. On le trouvait laid, gris et terne. À vingt ans, il avait déjà l'air d'un petit vieux, avec sa maigre silhouette étriquée, son veston luisant aux coudes, ses bottines usées, sa tête trop grosse pour des épaules trop étroites et son front bosselé et dégarni. De surcroît, l'ensemble de ses collègues fut d'accord pour le trouver assez peu sympathique.

Ternes furent aussi ses premiers mois de travail. Des affaires, il n'en avait pas. Ou alors, ce n'étaient que d'insignifiantes causes qu'il plaidait en qualité de défenseur désigné d'office, autrement dit sans être payé, et qu'il trouvait le moyen de perdre. Les débuts n'étaient donc pas glorieux. À peine gagnait-il de quoi payer ses tramways et la chambre qu'il avait louée pour 15 roubles mensuels dans un quartier bourgeois qu'il pensait en accord avec son statut d'avocat. La situation empirant (il perdait toutes ses affaires), il finit par déménager pour une chambre modeste dans un quartier plus populaire.

Quel contraste avec les espoirs qu'il avait nourris deux ans plus tôt, quand il était monté à la capitale pour y passer ses examens de droit et y soumettre la thèse requise sur le droit pénal ! C'était en mars 1891. Une première demande pour passer l'examen de droit en externe libre lui avait été refusée. Plus tard, il apprendra que le ministre avait annoté son dossier d'un laconique « c'est un vilain bonhomme[1] ».

Néanmoins, une nouvelle demande avait été acceptée et il avait enfin réussi à obtenir l'autorisation de se présenter aux examens terminaux de la faculté de droit de l'Université de Saint-Pétersbourg. Grâce aux subsides maternels, Vladimir avait loué une confortable chambre dans un élégant immeuble en bordure de la Neva. En avril, il s'était présenté aux examens en droit civil, histoire du droit russe, philosophie du droit, et histoire du droit romain.

Avec succès.

Hélas, à cette époque, sa sœur était tombée malade et la fièvre typhoïde l'avait emportée le 8 mai, jour de l'anniversaire de l'exécution de son frère aîné Alexandre, pendu en 1887 pour avoir tenté d'assassiner le tsar Alexandre III.

Son père Ilia étant mort l'année précédente d'une hémorragie cérébrale, Vladimir s'était retrouvé le seul homme de sa famille, et tous les espoirs s'étaient reportés sur lui. Il n'avait donc pas le droit d'échouer.

En septembre, il avait passé la seconde session d'examens. Des épreuves qui, en plus des procédures juridiques, comprenaient également du droit ecclésiastique et du code de police, matières dans lesquelles Vladimir avait obtenu la note maximale avec une mention très bien[2].

Le 12 novembre 1891, il était reparti pour Samara, somnolente cité de la région volgienne, afin de commencer sa carrière d'avocat. La province était alors en proie à une terrible famine.

Dans les campagnes, les paysans mouraient par milliers, succombant aussi bien à la faim qu'aux épidémies de choléra et de typhus qui s'étaient déclenchées. Les rues de la ville étaient jonchées de cadavres, et sa sœur Anna avait parcouru la ville au secours des malades, prodiguant remèdes et conseils[3].

Vladimir, quant à lui, s'était refusé à intervenir, préférant l'action politique, ou plutôt la réflexion théorique qu'il avait trouvée auprès d'un groupe de camarades marxistes. Lutter contre la famine ne servait à rien, il fallait surtout et avant tout dénoncer les ravages de l'industrialisation capitaliste.

« Des contre-mesures plus humaines seraient non seulement inefficaces mais aussi néfastes, car elles ralentiraient le développement du capitalisme et donc l'évolution vers le socialisme. Ainsi, la famine jouait-elle selon lui le "rôle d'un facteur de progrès" ; et par conséquent il refusait carrément de soutenir la lutte contre ce fléau[4]. »

Sans compter qu'il était bien trop occupé à veiller à ce que, malgré la famine et les épidémies, les paysans travaillant à la propriété familiale d'Alakaïevka lui payent leur dû, indépendamment des circonstances[5].

Les deux années qu'il avait alors passées à Samara n'avaient donc pas connu de véritable engagement politique, et ses réflexions n'allèrent guère au-delà de la lecture de Marx et des récits de Gleb Ouspenski sur le monde rural russe, même s'il préférait encore errer tranquillement dans les allées de la propriété familiale en s'enivrant de romans à l'eau de rose ou de récits romantiques comme *Nid de gentilhomme* d'Ivan Tourgueniev. Comme il bénéficiait du patrimoine familial, il était libéré du besoin de gagner réellement sa vie et pouvait donc se consacrer pleinement à sa maturation intellectuelle. D'ailleurs, du côté professionnel, cela ne s'était guère avéré plus brillant. Il ne consacrait à son métier d'avocat assistant qu'une part réduite de son temps et n'avait essentiellement effectué qu'un fastidieux travail de documentation. En 19 mois, il n'avait eu que des affaires sans importance, quelques disputes de bornage entre propriétaires terriens, et n'avait plaidé que treize fois en tout et pour tout et perdu... treize affaires. À son crédit, un seul succès : un petit allégement de peine pour un client fortuné.

Dès lors, on pouvait comprendre son désir de prendre une revanche à Saint-Pétersbourg. Certes, devant ses nouveaux déboires professionnels, il avait dû se résigner à demander de l'aide à sa famille.

Sa tante n'avait pas payé sa quote-part du loyer d'une de leurs propriétés familiales et sa mère ne pouvait rien lui refuser. Il savait qu'il pouvait compter sur le soutien inconditionnel d'une famille aisée et soudée.

Depuis l'enfance, il avait toujours été choyé par ces quatre femmes qui l'avaient entouré, libéré de toutes difficultés matérielles et qui avaient constamment veillé à sa tranquillité. Avant que ne sévissent les premiers froids, il avait reçu la visite de sa mère et de sa sœur Anna, venues pour lui acheter un pardessus d'hiver ; il était incapable de le faire lui-même. Ces femmes l'aimaient énormément et, parce qu'elles attendaient beaucoup de lui, elles lui avaient toujours donné tout ce qu'il pouvait souhaiter (même si cela le poussa à devenir une sorte d'enfant gâté habitué à la satisfaction du moindre de ses caprices) : « Vladimir Oulianov aspirait à promouvoir la révolution mais en se préservant un certain confort[6]. »

Le camarade bourgeois était aussi un camarade fils à maman.

En 1889, celle-ci avait acheté une grande propriété agricole près du village d'Alakaïevka, proche de Samara. Une belle maison de maître avec un moulin et des granges. Une propriété que sa mère venait de vendre pour un prix fixé à 8500 roubles. Et sur l'acte de vente figurait un cosignataire : Vladimir Ilitch Oulianov. Les revenus dégagés devaient permettre de lui assurer plusieurs années de vie à la capitale, mais c'était sans prendre en compte ses habitudes un peu dépensières et son incapacité à gagner de l'argent comme avocat. Certes, il n'avait pas encore trouvé de contrat, mais selon ce vieux principe voulant qu'il faut savoir dépenser de l'argent pour en gagner, il avait déjà dilapidé tout son petit pécule.

Dès lors, il lui fallut consacrer une grande partie de son courage et de son énergie à des demandes incessantes et pressantes pour obtenir plus d'argent de sa mère.

« J'ai dépassé mon budget, et je n'espère plus m'en tirer avec mes propres ressources. Si cela est possible, envoie-moi encore une centaine de roubles[7]. »

Et ces demandes se multiplieront les années suivantes, toujours promptement satisfaites par une mère certaine de voir son fils réussir un jour :

« À mon effroi, je me vois encore en difficulté avec mes finances. Le plaisir d'acheter des livres est tellement grand que l'argent passe le diable sait où. Je suis encore obligé de chercher du secours : si possible envoie-moi 50 ou 100 roubles[8]. »

Cela ne manquerait pas d'être profondément émouvant si le jeune bohème sacrifiait ses idéaux aux plus élémentaires nécessités de l'existence et vivait dans une misérable mansarde dans l'attente de jours meilleurs, de ces lendemains qui chanteront l'Internationale. Mais, en réalité, le jeune Vladimir Ilitch Oulianov menait la belle vie à Saint-Pétersbourg ; il ne se rêvait qu'en maître du barreau célébré, redouté, mais surtout fortuné.

Ce qui ne l'empêchait aucunement de poursuivre ses activités politiques. Sans doute y avait-il là un désir de revanche : détruire un système qui avait broyé sa famille en faisant exécuter son frère, abolir l'ancien régime des tsars pour appliquer ces théories si séduisantes qu'il avait découvertes dans les livres. Peut-être s'était-il également rendu compte qu'auprès d'autres militants, le pauvre avocat sans succès pouvait enfin se faire entendre et goûter la satisfaction tant attendue des premières marques d'estime, même si elles venaient de personnes peu éduquées qu'il était facile d'impressionner.

Ainsi, il intégra un cercle d'étudiants marxistes qui se réunissait une fois par semaine. Puis, peu à peu, il se mit à fréquenter d'autres groupes, préférant les réunions d'ouvriers où il pouvait plus facilement en imposer. On causait, on échangeait des impressions sur les événements du jour, les esprits s'échauffaient souvent, mais toujours animés des meilleures intentions. Bien sûr, personne n'avait de plan d'action ni de programme, mais l'essentiel était d'élaborer d'élégantes théories autour desquelles pouvaient s'éprouver l'intelligence et l'éloquence des futurs révolutionnaires.

Et dans ce type d'exercices, Vladimir pouvait enfin donner toute sa mesure.

Oublié l'avocat commis d'office qui ne pouvait même pas terminer ses plaidoiries. Passionné et charismatique, il s'imposait peu à peu comme un des meilleurs orateurs et des plus brillants théoriciens.

Pourtant, là aussi, la première impression qu'il avait produite sur ses camarades n'avait guère été à son avantage. Ils lui avaient trouvé l'air d'un commis de boutique : sa mise correcte mais banale contrastait avec le débraillé pittoresque de leur tenue.

Mais ce qu'ils ignoraient, c'est que la simplicité apparente de leur camarade n'avait rien de naturel et résultait de sérieux calculs. Habillé d'un veston élimé sur un col sale, chaussé de hautes bottes et coiffé d'une casquette, Vladimir voulait ressembler à un de ces journaliers des usines. Il devait donner l'impression d'être pauvre et faire oublier qu'il était avocat, fils d'un haut fonctionnaire, élevé au rang de la noblesse héréditaire : « Lénine ressemblait à un petit marchand de légumes, surtout quand, de sa casquette, s'échappaient quelques mèches de cheveux[9]. »

Celui qui vivait comme un rentier de la classe moyenne ne voyait les usines que de l'extérieur. C'était un décor qui convenait parfaitement à ses discours idéologiques, mais il ne voyait strictement aucune utilité à quitter la scène pour aller voir de l'autre côté du décor.

Aussi, ainsi déguisé, il pouvait s'aventurer sans risques dans les quartiers de Vyborg ou bien à la barrière de Narva pour se livrer à sa passion : les prêches révolutionnaires. Le jeune Vladimir usait des mêmes méthodes de déguisement et de camouflage que celles d'un célèbre détective inventé à la même époque par un médecin écossais, Arthur Conan Doyle : ce Sherlock Holmes, qui prenait un malin plaisir à se grimer afin de passer inaperçu dans les milieux interlopes de Londres et s'infiltrer plus facilement au cœur même de la pègre où le menaient ses enquêtes.

De son côté, Vladimir avait compris qu'il lui serait plus facile de faire passer ses idées auprès des ouvriers s'il était habillé comme eux, plutôt que s'il gardait son costume d'avocat destiné à ses plaidoiries. Il devait, en quelque sorte, jouer un rôle de composition et mettre ses pensées en accord avec son apparence. Quand il le fallait, Me Oulianov savait s'effacer devant le camarade Ilitch. Ou plutôt devant Nicolas Pétrovitch, pseudonyme dont il avait affublé son personnage.

Élémentaire, mon cher Vladimir.

Et assurément, ses amis ouvriers ne l'auraient certainement pas reconnu s'ils avaient croisé en ville le jeune avocat qui, « en melon, son parapluie à demi ouvert, ressemble à un petit-bourgeois de Saint-Pétersbourg[10] ».

Au printemps 1894, Vladimir fit la connaissance de Nadejda Constantinova Kroupskaïa, sa future épouse. Fille d'un modeste fonctionnaire, elle avait alors 26 ans.

Avec son visage d'un ovale parfait, sa peau d'une exceptionnelle blancheur, ses pommettes hautes et ses cheveux soigneusement réunis en chignon, la jeune femme ne ressemblait en rien à une révolutionnaire passionnée. Employée dans l'administration des chemins de fer, elle avait tenu à consacrer son temps libre au comité d'alphabétisation que le jeune homme dirigeait à présent.

Une bonne volonté qu'il accueillit sans montrer un enthousiasme excessif : « Eh bien, si quiconque veut sauver la patrie par le Comité d'alphabétisation, on ne va pas l'en empêcher[11]. »

Il était vrai que cette jeune fille studieuse et réservée était un peu trop sage à ses yeux, même s'il se sentait déjà obscurément attiré par elle. Inexplicablement, il se mit à partager ses intérêts, défendant certaines thèses, s'engageant à des actions qu'il aurait, avant, trouvées inutiles et saugrenues. S'il n'était rédimé par l'amour, il y avait chez le jeune homme un opportunisme qui n'était pas sans rappeler un roman de Shûsaku Endô.

Une œuvre dans laquelle le héros séduisait des ouvrières en les impressionnant par des citations de Marx et de Hegel et en prétendant qu'une authentique militante socialiste devait se donner librement pour les besoins de la cause : « Selon Marx, quand on aime, ont doit tout donner, sinon c'est de l'égoïsme. [...] Attacher de l'importance à sa virginité est une mentalité réactionnaire et dépassée. Les filles à l'université sont progressistes et s'en débarrassent au plus vite... Tous les deux, nous allons nous rendre de bon cœur dans cet hôtel. Au début, c'est un peu effrayant, mais... comme l'a dit Hegel, "Toute évolution va de pair avec la peur[12]." »

La première fois que Nadejda Kroupskaïa avait rencontré Vladimir Oulianov, elle lui avait trouvé quelque chose de « foncièrement mauvais et dur[13] », mais le jeune homme avait apparemment réussi à vaincre ses préventions et ses résistances. Karl Marx n'avait-il pas dit que « ne pas s'offrir librement à son chef de comité révolutionnaire ne pouvait être qu'un misérable préjugé bourgeois » ?

Vladimir savait très bien manipuler les liens émotionnels et les ressorts affectifs et pouvait se faire très convaincant, même si parfois cela lui donnait un caractère un peu autoritaire : « D'une manière générale, il supposait que les autres devaient se plier à ses désirs. [...] Il était tellement habitué à n'en faire qu'à sa tête que, s'il n'obtenait pas ce qu'il voulait, il était tout à fait capable de se mettre dans une colère noire ; il détestait être contrarié[14]. »

Par bonheur, Nadejda ne fit rien pour décevoir son supérieur.

Ils se revirent régulièrement au hasard de quelques réunions clandestines : « En hiver 1894-1895, raconte Kroupskaïa dans ses *Souvenirs*, mes relations avec Vladimir Ilitch devinrent plus étroites. Il s'occupait de cercles ouvriers dans les faubourgs de la Nevskaïa Zastava, tandis que moi, depuis quatre mois, j'enseignais à l'école du soir du quartier de Smolensk... [...] Le dimanche, après les réunions, il venait généralement me voir et nous entamions des conversations sans fin[15]. »

Ainsi, peu à peu, elle devint son amie, puis sa compagne, sa collaboratrice, sa secrétaire, avant de devenir sa femme en 1898[16].

Enfin, au fil de ces réunions, Vladimir prit de l'assurance. La présence à ses côtés de la docile Nadejda Kroupskaïa, toujours prête à l'admirer et à l'encourager, y fut sans doute pour beaucoup. Il s'épanouissait, s'enhardissait, s'étourdissant parfois devant sa propre éloquence.

Cette vie effacée, en demi-teinte, lui mettait tant d'amertume au cœur, qu'il s'épanouissait enfin devant la perspective de ces combats à mener, de cette lutte à initier. Et en prévision de ces affrontements, il prit soin de s'endurcir et de développer ses forces. Ce n'était pas un « esprit sain dans un corps sain », mais un « mental fort dans un corps puissant ». Il savait déjà que, sorti des limites étroites du tribunal où son génie était étouffé, son esprit pourrait être une arme. Il lui fallait dès lors se confectionner un fourreau digne de cette arme. Il se mit donc à pratiquer avec assiduité les exercices du corps, soulevant des poids, s'adonnant à la natation en été et au patinage en hiver :

« Pendant mes conversations avec Lénine, je compris pourquoi il avait cette carrure athlétique que j'avais remarquée la première fois que je l'avais rencontré. Il était un véritable athlète et pratiquait quantité de sports. Il ramait, nageait, faisait de la bicyclette et patinait. Il pouvait faire toutes sortes d'exercices au trapèze et aux anneaux, tirer et chasser et, comme je l'ai moi-même constaté, il jouait très bien au billard[17]. »

Le billard appartenait peut-être plus à cette ancienne vie de privilégié qui avait encore le loisir de s'adonner à des activités aussi futiles. Une époque qui lui donnait le sentiment d'avoir jusque-là égrené ses jours dans la monotonie et la vacuité d'une existence sans finalité réelle. Mais, désormais, plus rien n'existait en dehors de sa détermination qu'il venait de se forger dans les cercles marxistes. Il y était peut-être entré en dilettante oisif, il en sortait en vrai révolutionnaire.

La vie s'étendait devant lui, pleine de vastes promesses.

Des temps troubles se profilaient à l'horizon. Des temps propices à une intelligence capable de grandes choses et un esprit coupable de grands crimes. Il ne s'appelait pas encore Lénine[18], mais il avait déjà compris que le paradis du socialisme ne pourrait s'édifier que par la force, sur les ruines d'un régime moribond. La révolution ne se ferait pas en gants blancs. Il y aurait du sang, de la peur et des larmes…, mais il y aurait le progrès.

« Le peuple n'a pas besoin de liberté, car la liberté est une des formes de la dictature bourgeoise. »

LÉNINE

1 Jean-Jacques Marie, *Lénine*, Balland, 2004, p. 40.
2 Détail qui sera effacé des futures biographies officielles, cela cadrant assez mal avec l'image de l'ardent révolutionnaire anticlérical.
3 Robert Service, *Lénine.*, Perrin, 2012, p. 106.
4 Ibid., p. 106
5 Id.
6 Ibid., p. 112.
7 Correspondance entre Lénine et sa mère citée par Gérard Walter, *Lénine*, Marabout, Paris, 1950, p. 43.
8 Ibid., p. 142.
9 Maul Mourousy, *Lénine, la cause du mal*, Perron, 1992, p. 87.
10 Id.
11 Nadejda Kroupskaïa, citée par Alexandre Dorozynski, dans *Moi Vladimir Oulianov dit Lénine*, Le Cherche midi, 2001, p. 67-68.
12 Shûsaku Endô, *La Fille que j'ai abandonnée*, Folio Gallimard, 1998, p. 48.
13 R. Service, *Lénine*, op. cit., p. 115.
14 Ibid., p. 103.
15 G. Walter, *Lénine*, op. cit., p. 38-39.
16 Véritable alter ego, elle ne le quittera ni dans les périls de l'existence clandestine, ni dans l'exil, ni dans l'émigration. Par-delà la mort de Lénine, elle lui conservera un dévouement sans limites, abdiquant totalement sa propre personnalité.
17 Nikolaï Vladislavovitch Valentinov, cité par Alexandre Dorozynski, dans *Moi Vladimir Oulianov dit Lénine*, Le Cherche midi, 2001, p. 57.
18 « Homme de la Lena », du nom de ce fleuve de Sibérie près duquel il fut déporté entre 1897 et 1900.

MUSSOLINI, le cœur
a ses raisons...

Si l'histoire a surtout retenu l'incompréhensible amour d'Eva Braun pour Adolf Hitler, elle a oublié un peu vite une autre figure, celle de Margherita Sarfatti, maîtresse et muse inspiratrice de Benito Mussolini. Pourtant, cette relation de 24 ans fut bien plus qu'une simple aventure sensuelle entre un amant et sa maîtresse. L'influence qu'exerça cette femme sur le dictateur italien fut considérable.

Une influence qui étonne, car il est difficile d'imaginer Mussolini, caricature du macho méridional, docilement à l'écoute d'une femme. Elle surprend encore plus lorsqu'on découvre que le dirigeant d'un régime fasciste et antisémite fut profondément amoureux d'une intellectuelle juive, socialiste et présidente d'une ligue féministe. Une incongruité de l'histoire qui ne peut appartenir qu'au domaine irraisonné de la passion amoureuse, et qui réunira à la même époque Hannah Arendt, sioniste et future dénonciatrice des totalitarismes, au philosophe Martin Heidegger, « le plus grand des penseurs et le plus petit des hommes[1], membre du parti nazi.

Le visage au modelé massif et aux traits des brutaux condottieri, Mussolini affichait sans complexe ce qui inspirait toute sa vie : un âpre désir d'action et de reconnaissance. Une sorte de revanche sur une enfance riche de brimades et d'insatisfactions.

Né d'un humble forgeron de village, il avait débuté sa vie comme instituteur avant de quitter sa fonction pour voyager. Il avait alors été arrêté pour vagabondage et avait dû subsister en acceptant toutes sortes d'emplois. Il s'était fait livreur, maçon, employé journalier… Ses mains s'étaient endurcies en maniant les pelles des chantiers, et sa volonté d'élévation sociale s'était faite plus forte.

Puisqu'on l'avait prénommé Benito en hommage à Benito Juarez, le héros de l'indépendance mexicaine, il devait y voir un signe, une invitation à prendre en main sa propre destinée pour forger sa légende personnelle et déclencher une nouvelle révolution.

Une révolution sociale et anticléricale. Ces gens du Vatican étaient à ses yeux « tous des enc…[2] » qui ne valaient pas mieux que les riches bourgeois qui avaient toujours exploité des hommes comme lui.

Enfin, il avait fini par un peu s'assagir et s'était marié, civilement, avec Rachele, une amie d'enfance qui l'avait accompagné pendant des années. Cela, bien sûr, ne l'empêcha aucunement de fréquenter les autres femmes. Était-ce sa faute si ces pauvres malheureuses ne pouvaient résister à son incroyable magnétisme animal ?

« Toutes les femmes sont éperdument amoureuses de moi, c'est mon délice de les posséder dans l'embrasure d'une porte ou sur une marche d'escalier[3]... »

Et plus tard, alors même qu'à force de patience et d'intrigues il était devenu le respectable directeur d'un journal socialiste, il continua à vanter son exceptionnelle virilité. C'était le plus heureux lorsqu'on assurait devant lui qu'il collectionnait les maîtresses, prises à même son tapis rouge, au besoin sans qu'il ait à quitter son frac ou son uniforme. Et la liste semblait interminable, de l'endiablée Ida Dalser, qui mourut dans un asile psychiatrique, à l'intrigante Magda Coraboeuf, une actrice française, dite Fontanges au théâtre, venue à Rome pour interviewer le Duce pour le journal *La Liberté* : « Je suis restée deux mois à Rome, dit-elle, et il m'a possédée vingt fois[4]. »

Mussolini consommait tout ce qui passait à sa portée et culbutait toute quémandeuse qu'il « satisfaisait » entre deux audiences : marquises et servantes, paysannes et intellectuelles, toutes, sous seule condition qu'elles fussent dodues.

Lorsque, en 1913, Margherita Sarfatti pénétra à son tour dans les bureaux du directeur de l'*Avanti*, elle connaissait sa réputation. Elle dirigeait alors la rubrique artistique de ce quotidien du parti socialiste et, comme elle était profondément réformiste, elle ne pouvait imaginer que le chef de file du courant intransigeant accepterait longtemps ses conceptions culturelles. Elle était donc venue apporter sa démission pour ne pas avoir à renoncer à ses convictions. En outre, féministe et militante, elle ne craignait guère les avances maladroites de ce rustaud. Appartenant elle-même à la grande bourgeoisie, cet ancien maçon ne pouvait présenter de menace sérieuse.

Comment aurait-il pu avoir seulement l'audace de lever les yeux sur elle ?

Née Grassini, Margherita était issue de la bonne bourgeoisie juive vénitienne et avait vécu une enfance de rêve dans un palais vénitien.

Elle avait reçu une éducation de haut niveau et était conditionnée pour mener une existence qui ne devait déroger en rien aux principes familiaux.

À 18 ans, elle avait épousé Cesare Sarfatti, un avocat de 29 ans qui l'avait introduite dans les milieux fréquentés par l'intelligentsia milanaise. Intellectuel et réformiste, il lui avait également fait rejoindre le parti socialiste. C'est ainsi qu'elle fut amenée à travailler pour l'*Avanti* et faire la connaissance de Mussolini.

Une entrevue qui, contre toute attente, se conclut par un réengagement de Margherita, assurée de sa liberté d'opinion, et un étonnant coup de foudre entre les deux protagonistes. Elle n'allait pas tarder à le revoir.

« Je sentis que deux grands yeux ardents me brûlaient et me transperçaient, avant même que j'eusse compris que c'étaient ceux de Mussolini[5]. »

Ce même Mussolini qui avait conclu leur précédente entrevue par cette phrase laconique : « Je suis un homme qui cherche[6]. » Et à présent, c'était elle qu'il recherchait. Et il allait la trouver. Quelques jours après leur conversation au journal, dans les premiers jours de 1913, commença une longue relation intime et fusionnelle.

« Je fus impressionnée par ses grands yeux jaunes et lumineux qui tournaient rapidement dans leur orbite, par sa bouche volontaire qui avait quelque chose de cruel, par ses citations nietzschéennes et son air énergique. La conversation s'orienta bientôt sur sa conception du rôle des femmes et de l'usage que l'homme peut en faire[7]. »

Une conception qui aurait dû scandaliser l'ardente féministe qui avait déjà, à plusieurs reprises, prouvé qu'elle ne se laissait pas facilement impressionner. N'avait-elle pas défendu des militantes anglaises qui n'avaient pas hésité à faire exploser des bombes et lacéré des tableaux dans des musées pour attirer l'attention sur la condition des femmes[8] ?

« Qu'importe la perte de quelques chefs-d'œuvre si la reconnaissance de la place des femmes dans la société est à ce prix[9]. »

Mais cette fois-ci, tout fut différent. Elle s'était contentée de rétorquer que « la pudeur des belles femmes est fortifiée par la conscience de leur beauté physique[10] », ce que ce nouveau « Savonarole au profil d'empereur romain » ne pouvait pas manquer de prendre comme une sorte de défi qu'elle lui demandait de relever. Chose qu'il fit aussitôt, mais avec une conséquence qu'il n'avait pas prévue : il était tombé amoureux.

Étonnante parité de sentiments chez deux êtres qu'un fossé plein d'ombres séparait. Pour un rustre comme lui, qui professait le mépris des femmes intellectuelles, n'était-ce pas une faiblesse, presque un avilissement ? À vrai dire, il n'eut guère le loisir et encore moins l'envie d'y réfléchir. Cette blonde pulpeuse lui avait jeté au cœur des désirs fous qui ne demandaient qu'à être assouvis.

Pourtant, en général, l'amour n'était chez Mussolini qu'un vague et bref relâchement de l'indifférence. Il n'y prêtait pas plus attention que sa première expérience au bordel qu'il se plaisait à raconter sans pudeur aucune : « Une prostituée, m'ayant pris sur ses genoux, commença à m'exciter avec des baisers et des caresses. C'était une femme d'âge mûr, grisonnante, dont le lard pendouillait de toutes parts. Je lui fis le sacrifice de ma virginité. Ça ne me coûta que cinquante centimes[11]. »

La plupart du temps, cela ne tirait pas à conséquence. Ses relations étaient trop éphémères, ou de trop basses conditions sociales, pour que cela interférât dans le cours ordinaire de son existence.

« J'abordai une de mes voisines, une jeune fille réservée, une certaine Virginia B. Le travail préparatoire ne fut pas long. La forteresse n'était pas inexpugnable. C'était une jeune fille généreuse. Un beau jour, je la suivis dans les escaliers, je la jetai dans un coin derrière une porte et je la pris. Elle se releva en pleurant et en m'insultant entre ses larmes. Elle disait que je lui avais volé son honneur. Je ne l'exclus pas. Mais de quel honneur parlait-elle[12] ? »

Ces passades fugitives et furtives ne risquaient pas d'entraver son inexorable ascension politique. Mais avec cette femme, tout était différent. Pour elle, il était prêt à renoncer en partie à ses préjugés, à se faire sourd aux conseils de ses amis et même à affronter la colère de sa femme Rachele, pourtant habituée à ses frasques. Ainsi, croyant la rassurer, il prétendra : « Elle est trop cultivée, trop intellectuelle pour que je m'y attache[13]… »

Évidemment, ce fut tout le contraire, et la relation évolua du coup de foudre amoureux et sensuel à une véritable relation sentimentale et intellectuelle. Ils pouvaient ainsi parler des heures des sujets qui les passionnaient, passant alternativement de la politique au culturel.

Margherita était attirée par cet homme aux manières frustes et viriles. Les mots crus et les rudes caresses aiguisaient les appétits sexuels de la grande dame vénitienne, dont la sensualité gourmande réclamait des sensations fortes. Mussolini était flatté d'avoir fait la conquête d'une bourgeoise aux goûts aussi raffinés.

Leur liaison s'épanouit au fil de cette commune entente intellectuelle et sexuelle, où chacun était libre de partager autour du plaisir que leur donnaient leurs échanges et des satisfactions que leur procurait la certitude d'avoir également trouvé un partenaire à qui se confier. Naturellement,

Mussolini ne lui cacha aucunement ses ambitions, même si ses rêves de gloire pouvaient parfois prendre une tournure étrange : « Si tout va bien, j'aurai dans trente ans mon buste dans les squares, et les amoureux diront : "À huit heures, ce soir, derrière Mussolini." Ce sera très bien[14] ! »

Une forte complicité se développa et se transforma très vite en liaison amoureuse passionnée. Une passion alternée et nourrie de fâcheries politiques, d'éclipses et de réconciliations entre ces deux personnalités narcissiques et dominatrices.

Malgré les liens très forts, la belle Vénitienne était choquée par les comportements brutaux de son nouvel amant. Il manquait à son esprit un certain polissage qui lui aurait permis de masquer la rusticité de ses sentiments.

À cause de cela, Mussolini était condamné au stéréotype italien, dont les propos machistes hérissaient la féministe. Elle oscillait entre fascination et répulsion, mais finissait invariablement par revenir à cette passion qui n'était pas entièrement dépourvue d'un certain orgueil naissant de la liberté avec laquelle elle s'affranchissait des conventions et de ses propres préventions.

Cependant, la virilité du tribun ne lui faisait pas oublier leurs différences d'origine sociale. L'intellectuelle femme du monde faisait tout pour civiliser le nouveau chef du parti socialiste. Si elle parvint à l'influencer, elle ne modifia en rien son comportement envers les femmes.

En 1914, le choix de l'interventionnisme provoqua la grande rupture entre Mussolini et le parti socialiste. Margherita était troublée. Elle se tenait à l'écart. Mais la mutuelle attraction était plus forte. Elle rejoignit la position nouvelle de son amant. Attaqué par ses anciens camarades, Mussolini traversait l'une des pires épreuves de sa vie. Leur entente s'en trouva renforcée. Il n'avait jamais éprouvé une aussi forte complicité avec une femme. De maîtresse, elle devint confidente. Une intimité plus grande s'instaura entre eux deux, même pendant la Grande Guerre. Profitant de la moindre permission, Margherita emmenait son amant en escapade amoureuse dans des chambres d'hôtel discrètes, le long de la côte.

« Vous n'avez jamais pensé que je pouvais vous aimer ? Parce que moi je vous aime », avait-elle enfin osé lui avouer. Peut-être lui avait-il fallu seulement toutes ces années pour en prendre elle-même conscience et accepter cet aveu comme une sorte de faiblesse, de déchéance intellectuelle…

Pour son amant, cette révélation fut tout aussi brutale et perturbante : « Nous montâmes dans le taxi […]. Après, il advint ce soir-là quelque chose de terrible dans la chambre de l'hôtel. Je ne pus rien lui faire, je pensais que c'était la position, j'en changeai plusieurs fois. Rien, impossible. C'était certainement l'odeur de sa chair[15]. »

Bénéficiant des bons soins de son amante, qui prit garde de ne plus lui parler d'amour, le vaillant condottiere s'en remit et fut prêt à affronter d'autres engagements.

En 1917, Mussolini revint du front après avoir été grièvement blessé.

Une blessure qu'il s'efforça de toujours mettre en avant pour édifier sa « légende dorée », même si cela impliquait de sérieuses contradictions avec les faits réels, comme en témoigna un de ses camarades du front :

« Mussolini […] resta en tout à peine trente jours dans les tranchées, pendant lesquels il ne prit part à aucun assaut, ni à aucune action. Les blessures dont il se vante et grâce auxquelles il mit un terme à sa brillante carrière de soldat advinrent pendant l'instruction de nouveaux mortiers […]. Ce fut un accident dû à la maladresse, ou au mauvais sort, rien d'héroïque, en tout cas. Sa gravité fut due exclusivement au fait que les blessures étaient multiples et eurent du mal à guérir à cause de la syphilis qu'il avait dans le sang[16]. »

Les séparations et les retrouvailles n'avaient en rien entamé la ferveur des amants, bien au contraire. Mussolini passa des heures à raconter ses projets, ses espoirs. Tous les deux avaient souffert de la guerre.

Lui gardait le souvenir de ses blessures physiques et morales. Margherita avait perdu son fils Roberto, engagé dans le corps d'élite des chasseurs alpins. Cette souffrance, au lieu de les éloigner, les rapprocha.

Pour Mussolini, après l'armistice, l'hiver 1918-1919 fut une période d'intense activité, celle de la création des Faisceaux. Margherita joua un rôle déterminant dans l'évolution idéologique de Mussolini.

Ils ne se quittaient plus. Elle partageait avec lui la responsabilité des choix éditoriaux du *Popolo d'Italia*, s'occupait de la rédaction, de la gestion.

Rachele, la femme de Mussolini, était évidemment au courant de la relation qui unissait ces deux amants et avait compris que ce lien était bien plus dangereux pour son couple que toutes les autres aventures que son mari avait connues. Elle racontera :

« Un jour, en 1921, Margherita Sarfatti vint le voir à la maison pour des questions professionnelles, alors qu'il se remettait de l'accident d'avion qu'il avait eu avec Redaelli. Je fis comme si je n'étais au courant de rien. Elle, de son côté, se comporta de façon irréprochable, mais j'étais irritée qu'elle ait osé venir chez moi. Aussi, tout en arrangeant Benito dans son lit, après son départ, je laissai tomber négligemment : "Il y a des gens qui ont vraiment un culot monstre. Le moins qu'on puisse faire avec eux, c'est de les balancer par la fenêtre…" Benito, qui n'avait pas la conscience tranquille, n'insista pas beaucoup et se contenta de me dire, d'une voix pas très convaincue, que je me faisais des idées. En fait, de 1922 à 1926, mon mari poursuivit sa liaison avec Margherita Sarfatti à Rome[17]. »

Cependant, ni la période fiévreuse de naissance du fascisme ni la présence inquiète de sa femme Rachele n'empêchèrent Mussolini d'envoyer une multitude de lettres enflammées à son inspiratrice. Il y eut quelque 1272 lettres écrites par Mussolini, toutes restées en possession de la famille Sarfatti.

Ce soir avant de t'endormir, pense à ton très dévoué sauvage, qui est un peu fatigué et a quelques ennuis, mais qui est tout à toi, en surface et en profondeur. Donne-moi un peu du sang de tes lèvres.
Ton Benito[18]

Et quand ils se retrouvaient, Margherita servait de génie musagète et d'initiatrice, déniaisant son amant dans les domaines où il n'avait jusqu'à présent guère montré de curiosité. Elle l'obligea à se raser la moustache, à porter un costume de bonne coupe et à cacher sa calvitie naissante sous un chapeau melon. Très cultivée, elle le poussait à lire, lui prêtait ses ouvrages d'histoire et de littérature. Elle était déterminée à affiner cet homme brutal, ce « coq de village », à lui apprendre les usages.

Ainsi, elle l'accompagna au théâtre et dans les concerts, l'entraîna dans les salons littéraires, dans les vernissages et les expositions artistiques, essaya de l'intéresser à la peinture, aux avant-gardes...

Elle lui fit également découvrir Venise dans ce que la cité avait de plus intime, de plus remarquable, l'entraîna au fil des canaux, l'étourdissant de son érudition.

Elle l'introduisit à l'histoire de la grandeur et des conquêtes de la Sérénissime, le divertit avec les exploits de Casanova et l'entraîna au palais des Doges pour lui faire admirer les plafonds du Titien.

L'âme un peu attendrie par le bonheur, Mussolini n'en gardait pas moins sa volonté intacte, rétive à un plus haut degré de raffinement. Marmoréen, Mussolini se voulait comme cette Rome antique à la connaissance de laquelle son amante l'avait initié et dont il allait à présent pouvoir se servir pour fonder sa mythologie fasciste.

Pour des hommes se sentant appelés à une grande destinée, l'attente des responsabilités politiques devait avoir quelque chose de la douce appréhension que donne l'attente du plaisir, mais pour Mussolini, la violence de ses désirs semblait anesthésier toute sensibilité en abolissant toute patience.

Le pouvoir était comme une femme : il appartenait à celui qui savait s'en saisir. En octobre 1922, il marcha sur Rome à la tête de plusieurs dizaines de milliers de fascistes. Du moins le fit-il croire par la suite. De même qu'il avait passé une grande partie de la Première Guerre mondiale confortablement à l'abri, il avait organisé de loin cette marche. Le coup de force ayant réussi, il put alors rejoindre la capitale, où le roi Victor-Emmanuel II venait de l'appeler à former un nouveau gouvernement.

L'arrivée au pouvoir de Mussolini ne sembla pas entamer leur relation. Margherita se voyait déjà en conseillère du président ou en président des Arts et des Lettres. S'imaginant déjà reine de Rome, l'intellectuelle de haut vol se laissa peu à peu humilier, car le nouveau président du Conseil ne se privait pas de multiplier les aventures galantes.

Mussolini s'efforçait de rester discret, redoutant la jalousie féroce de sa maîtresse, mais cela n'importait plus beaucoup puisque la féministe militante s'était déjà transformée en adoratrice du grand homme.

Bien sanglé dans son bel uniforme martial, le menton volontaire et le torse bombé, le Duce, caricature de virilité militaire, fascinait plus que jamais l'ancienne pacifiste. Séduite, elle l'était au point d'écrire un livre à sa gloire, *Dux*, en 1925.

Arrogante, vaniteuse et intolérante, cette femme était devenue aussi avide de reconnaissance et de titres que son histrion d'amant. Perdant tout sens critique et distance, elle avait participé à l'édification du mythe mussolinien.

Cela ne l'empêcha pas de voir peu à peu son pouvoir et son influence lui filer entre les doigts.

Ainsi, elle ne parvint jamais à comprendre l'étendue de l'antisémitisme chez son amant, alors qu'il la décrivait ouvertement comme « riche, avare et juive[19] », traits qu'il associait manifestement à des tares rédhibitoires. Ce qui ne l'empêchait pas, un autre jour, de lui recommander un chirurgien en particulier sous prétexte que ce médecin juif était forcément un homme de l'art « plus sûr que ces purs Allemands, ces *Herr Professor* aux doigts aussi lourds que leurs théories[20] ».

L'attitude de Mussolini était parfois ambivalente, et ses préjugés pouvaient s'effacer devant certaines individualités, mais Margherita fit preuve d'un réel aveuglement en ne réalisant pas qu'il ne perdrait jamais ses préjugés et que cela augurait du nouveau régime :

« Moi j'étais raciste dès 1921. Je ne sais comment ils peuvent penser que j'imite Hitler, il n'était pas encore né. [...] Il faut donner un sens de la race aux Italiens pour qu'ils ne créent pas de métisses, qu'ils ne gâchent pas ce qu'il y a de beau en nous[21]. »

D'ailleurs, l'élévation de son amant marqua le début de son déclin. Dès les années 1930, l'éloignement de Mussolini était perceptible. Mais, en 1938, la rupture fut définitive. Par une de ces terribles ironies dont l'histoire est féconde, l'ancienne muse du Duce fut une des premières victimes du régime fasciste, à l'édification duquel elle avait participé[22]. Les lois antisémites poussèrent Margherita à s'exiler à Paris, puis en Amérique. En 1939, faute de trouver aux États-Unis, en raison de ses engagements fascistes, l'accueil et la considération qu'elle escomptait, elle s'exila en Amérique du Sud, où elle finit par se faire oublier. Quant à son amant, il trouvera une fin plus brutale dans le chaos d'une guerre qu'il aura aidé à initier…

« *L'Italie a besoin d'un bain de sang.* »
Benito Mussolini

1 George Steiner, *Barbarie de l'ignorance*, Éditions de l'Aube, 2000, p. 46.

2 A. Conte, *Les Dictateurs*, op. cit., p. 114.

3 Id.

4 Id.

5 Margherita Sarfatti citée par Françoise Liffran, dans *Margherita Sarfatti : l'égérie du Duce*, Seuil, 2009, p. 137.

6 Ibid., p. 136.

7 Ibid., p. 137.

8 À la même époque, toutes les intellectuelles ne faisaient pas preuve d'un même militantisme, et Colette avait été jusqu'à déclarer : « J'espère qu'on leur fera comprendre que ces mœurs-là n'ont pas cours chez nous. Savez-vous ce qu'elles méritent, ces suffragettes ? Le fouet et le harem… » (F. Liffran, *Margherita Sarfatti*, op. cit., p. 164.)

9 Ibid., p. 163.

10 Ibid., p. 137-138.

11 Ibid., p. 141.

12 Id.

13 André Brissaud, *Mussolini : la montée du fascisme*, Perrin, 1983, p. 80.

14 Henri Béraud, *Dictateurs d'aujourd'hui*, Flammarion, 1933, p. 37.

15 Diane Ducret, *Femmes de dictateur*, Perrin, 2011, p. 52.

16 F. Liffran, *Margherita Sarfatti*, op. cit., p. 245.

17 A. Brissaud, *Mussolini*, op. cit., p. 80-81.

18 F. Liffran, *Margherita Sarfatti*, op. cit., p. 365.

19 Ibid, p. 175

20 Ibid, op. cit., p. 334.

21 Philippe Ridet, « Mussolini, les juifs et les femmes », dans *Le Monde*, 30 novembre 2009.

22 Une des nombreuses victimes fut l'écrivain italien Primo Levi qui fut déporté en février 1944 à Auschwitz et dont il laissera un témoignage bouleversant : *Si c'est un homme*.

Mao Zedong : quand un poète raté se hausse du col

La Chine avait beaucoup changé en peu de temps. Il y avait quelques années seulement, lorsqu'il avait quitté l'« école primaire supérieure » de Dongshan pour le collège de Changsha, cela lui avait demandé deux jours de voyage en char à bœufs. Il n'existait pas encore de chemin de fer, et sa province natale du Hunan vivait encore en plein Moyen-Âge. Fort heureusement, l'année suivante, en 1912, une révolution républicaine avait éclaté. Porté par la conviction qu'un grand changement s'imposait et qu'il fallait rompre définitivement avec un passé sclérosé, il avait rejoint l'armée révolutionnaire et participé à la chute de la dynastie Qing. Puyi, le dernier empereur, avait abdiqué et on avait proclamé à Nankin la République de Chine remise aux mains de Sun Yat-sen. Libéré de son engagement militaire, Mao avait pu retourner à ses études et sortir diplômé en 1918 de la première école normale provinciale du Hunan. Il était aussitôt après parti pour Pékin afin d'y faire carrière.

Il allait être professeur.

Du moins le croyait-il.

Pour l'heure, il hésitait encore, partagé entre le fleuve de l'écriture et le fleuve de l'action[1]. L'amoureux des livres voulait continuer à fréquenter le monde de la littérature, de l'écriture et de la poésie, mais il se sentait tiraillé par d'autres pensées. Des convictions qui l'éloignaient de la réflexion pure et l'invitaient avec de plus en plus de force au militantisme, à l'action politique. Il avait même fondé, à

Changsha, la « Société d'étude des hommes nouveaux[2] ». À Pékin, il était certain de pouvoir apprendre à structurer sa pensée, à développer sa conscience politique et à intégrer des mouvements révolutionnaires plus ambitieux.

Mais dans l'immédiat, il y avait plus urgent, puisqu'il se retrouvait sans ressource : « J'avais atteint la capitale en empruntant à des amis les frais du voyage et, quand j'arrivai, il me fallut chercher du travail immédiatement[3]. »

Fort heureusement, le directeur de l'école normale du Hunan, Yang Changji, qui avait également été son ancien maître, avait aussi fait le voyage dans la nouvelle capitale et proposé d'héberger son élève. Cela ne pouvait être que temporaire et, avant même de rêver à un hypothétique avenir politique, il fallait d'abord songer à résoudre de pressants problèmes matériels.

Mais là encore, son professeur se montra providentiel en trouvant au jeune homme un poste de bibliothécaire adjoint à la Bibliothèque universitaire de Pékin.

Cependant, il s'agissait plus d'une sorte d'allocation déguisée que d'un véritable emploi. Ce travail « était si modeste, raconta Mao par la suite, que les gens m'évitaient. Une de mes tâches était d'enregistrer le nom des personnes qui venaient lire les journaux, mais pour la plupart d'entre eux je n'existais pas comme être humain[4] ».

Les huit yuans par mois furent néanmoins acceptés avec soulagement. Ils permettaient de subvenir aux premières nécessités : se nourrir et trouver un logement.

En outre, le poste autorisait le jeune homme à fréquenter les locaux et la bibliothèque de l'université comme il le souhaitait.

Un privilège non négligeable pour un passionné de lecture qui allait passer d'innombrables heures dans une petite pièce encombrée de livres, simplement meublée d'une bibliothèque vitrée, d'une table recouverte d'une nappe et de quelques chaises.

Un paradis pour un bibliomane. Un sanctuaire pour qui voudrait se consacrer à toute autre chose qu'à d'inutiles rangements et des classements tout aussi saugrenus. Écrire des poèmes, étudier ou rédiger quelques idées politiques étaient des occupations bien plus importantes, et surtout bien plus exaltantes.

Sa préférence allant à la calligraphie, un art qu'il pratiquait depuis son enfance : « Ses caractères, empreints de passion, ne manquent pas de raison. Devant ses œuvres, on est séduit par les traits tantôt gros, tantôt raffinés, qui courent avec autant de vitesse que de lenteur. La grandeur et la force de ses œuvres sont à l'image de ses actes[5]. »

Et comme il s'imaginait devenir un grand écrivain, un lord Byron[6] chinois, il se mit à composer toutes sortes de poésies, des essais, des recueils de pensées. Les sujets ne manquaient pas et il envisageait de les étudier tous afin de devenir, pourquoi pas, un génie universel, une sorte de nouveau Léonard de Vinci. D'ailleurs, n'avait-il pas déjà réussi à publier un premier ouvrage, des *Études sur la culture physique*[7] ?

Aussi, depuis « sa prise de fonction », Mao disparut du monde, englouti qu'il était par cette petite pièce où il pouvait travailler tout son soûl et rêver tout à loisir.

Et les rares fois où il faisait quelques apparitions au cœur de la bibliothèque universitaire, c'était pour y trouver la compagnie de camarades avec qui il était possible d'échanger quelques idées lumineuses. Hélas, Mao avait oublié qu'il n'était plus un radieux révolutionnaire, mais un obscur gratte-papier :

« Parmi les lecteurs, je reconnus par leurs noms les chefs illustres du mouvement de la renaissance [...]. J'essayai d'entamer la conversation avec eux sur des sujets politiques et culturels, mais c'étaient des hommes très occupés. Ils n'avaient pas le temps d'écouter un bibliothécaire adjoint parlant un dialecte du Sud[8]. »

L'idéaliste avait peut-être cru qu'il parviendrait à faire abstraction de son environnement, mais le mépris des autres lui pesait de plus en plus. Il voyait bien que les enseignants, comme les étudiants, le traitaient comme un domestique. Il est alors facile d'imaginer Mao Zedong, dont le nom chinois signifie « Pinceau des marais du Sud », passer le temps en calligraphiant avec élégance son patronyme. Il y eut alors peut-être une sorte de révélation, la prise de conscience qu'en restant là, dans cette petite pièce poussiéreuse, il ne parviendrait jamais à s'extirper de cette médiocrité où il s'engluait de plus en plus profondément.

Pour ne pas arranger les choses, son emploi étant très mal payé, Mao avait dû se résoudre à partager un misérable logement avec six ou sept camarades. Une petite maison basse comme Pékin en comptait des milliers, le long de ses ruelles étroites, serrées autour de minuscules cours intérieures, à l'abri de murs aveugles. Une des chambres était utilisée comme bureau et l'autre comme chambre à coucher. Ils y dormaient tous en rang serré sur un *kang*, un grand lit-poêle de type mandchourien, uniquement allumé quand les nuits étaient les plus froides.

« Lorsque nous étions tous solidement entassés sur le *kang*, se souvenait Mao, il y avait à peine assez de place pour nous laisser respirer. Si je voulais la nuit me retourner, il me fallait d'abord prévenir mes voisins de droite et de gauche[9]. »

L'ex-paysan de Shaoshan élevé sans confort s'accommodait de la situation, mais l'hiver glacial et venteux de la « capitale du Nord » et le dénuement dans lequel ils se trouvaient leur faisaient connaître une rude bohème, surtout lorsqu'il leur fallait sortir par des jours de froid extrême : « Vers la fin de l'hiver, nous étions passés d'un seul manteau à trois, mais Mao Zedong ne parvint jamais à s'acheter un manteau personnel[10]. »

Une façon d'éprouver les préceptes prônés par Lao Tseu dans le *Tao-tö-King*, le « livre de la voie et de la vertu » : « Endure, et tu pourras surmonter. »

Mao surmonta et en garda la dangereuse conviction que seule la souffrance est formatrice et qu'une grande destinée implique de grands sacrifices.

D'ailleurs, il considéra par la suite cette période comme un tournant et le terme d'un épisode : « Au cours de l'été 1920, j'étais devenu, en théorie et dans une certaine mesure en action, un marxiste[11]. »

À 26 ans, ses convictions se faisaient plus fortes, mais aussi extrêmes. Le jeune homme, qui ne dédaignait pas jeter un regard furtif aux jolies étudiantes de la bibliothèque, prétendait maintenant renoncer au mariage, un système d'exploitation inhumain qui le révulsait : « Quand j'étais jeune, j'ai vu de nombreuses personnes mariées. Je leur demandais pourquoi elles le faisaient. Toutes me répondaient qu'elles en avaient besoin pour leur faire le thé, la cuisine, pour élever les cochons… Je leur demandais alors s'il n'aurait pas été plus facile d'avoir un domestique… On me répondait qu'il leur fallait fonder une famille. Tout cela me laissait perplexe. Et encore aujourd'hui, quand vous considérez ce que la société dit à propos du mariage, vous ne trouvez rien en rapport avec l'amour[12]. »

Révolte d'un poète désireux de mettre l'amour au firmament des relations humaines ?

Pas vraiment.

Pour Mao, le sentiment amoureux se réduisait plutôt à « l'échange de deux fantaisies et [au] contact de deux épidermes ». Une maxime de Nicolas Chamfort qui correspondait assez bien aux principes régissant alors la vie amoureuse du jeune Mao Zedong : partager un moment agréable sans s'impliquer émotionnellement.

Veuf d'une de ses cousines, Luo Yixiu, qu'il avait été forcé d'épouser à l'âge de 15 ans, et qui était morte quand il en avait 17, il ne gardait guère souvenir de ce premier mariage[13] qu'il n'évoquera qu'une fois, en 1936 : « Je n'ai jamais vécu avec elle. [ ] Je ne la considère pas comme ma femme, et je n'ai guère pensé à elle[14] ! »

Très tôt libéré de ce « joug », il pouvait assouvir son goût immodéré pour les livres et pour les femmes. Feuilleter les uns, effeuiller les autres. C'était toujours une affaire de couvertures à déchiffrer ou à soulever, tourner une page d'un doigt distrait ou caresser une chair d'une main indiscrète

Et, pendant que monsieur Jourdain faisait de la prose sans le savoir, Mao arabisait malgré lui, appliquant à la lettre ce proverbe du Maghreb : « Le paradis se trouve entre les pages d'un livre et les seins d'une femme. »

Pour monter au paradis, rien n'était plus simple : il suffisait au jeune révolutionnaire d'afficher dans son université un avis invitant « les jeunes gens intéressés par l'action patriotique » à le contacter. Évidemment, seules les étudiantes étaient conviées à l'honneur de discussions « patriotiques » qui se finissaient avec un peu de chance dans le lit de Mao, au milieu de dizaines de livres posés sur le matelas. Habitude qu'il conservera toute sa vie : « Son lit sera toujours à demi couvert et entouré de dizaines d'ouvrages. C'est également au milieu de ses livres qu'il honorera volontiers jusqu'à un âge très avancé plusieurs jeunes femmes à la fois[15]. »

Pourtant, de toutes ces jeunes femmes qu'il fréquentait à cette époque, une d'entre elles ne tarda pas à se détacher : Yang Kaihui. Elle était de huit ans sa cadette. Peu importait à Mao qui lui avait trouvé une qualité à ne pas négliger, celle d'être la fille de Yang Changji, ce même professeur qui l'avait instruit, hébergé et aidé dans sa nouvelle vie à la capitale.

Mettant en avant les liens qui les unissaient déjà, il commença à courtiser le père, lui faisant part de ses nobles desseins, ainsi que de son ambition à devenir un lettré et un honorable professeur. Le père accueillit favorablement ces déclarations d'intentions. Il le fit d'autant plus volontiers qu'il avait eu Mao comme élève et appréciait son intelligence.

Il restait à séduire la fille.

Ce qui pouvait s'avérer plus délicat qu'avec les jeunes filles naïves et peu farouches dont il avait l'habitude. Kaihui avait reçu une éducation avancée et nourrissait le même amour que lui de la littérature.

D'une sensibilité exquise, elle aimait composer d'admirables poèmes vibrants d'une émotion délicieusement romantique. Ce qui ne manquait pas de trancher avec le caractère froid et grossier de Mao Zedong. De sa lointaine province, il avait gardé des manières plutôt rustiques. Ainsi, il mâchait des graines de tournesol en faisant chanter sa salive avant de les cracher sur le sol. Il avait les dents toutes noires à force de fumer, portait encore des habits tissés en poil de chèvre et, pire que tout, avait conservé l'habitude de roter et de péter en public sans aucune gêne. Mao vivait une sorte de bohème rimbaldienne, mais ce provincial mal dégrossi aurait eu beau chausser des semelles de vent, il n'aurait jamais ressenti le moindre zéphyr de légèreté et de subtilité.

Ses premières tentatives se soldèrent assez logiquement par des échecs.

Kaihui rêvait du grand amour et il lui semblait que ce rêve pouvait difficilement s'incarner dans cette espèce de poète campagnard, de paysan fruste, cet étudiant attardé. En outre, comme le révolutionnaire se vantait de ne jamais vouloir se marier, la jeune femme était assez peu encline à se contenter d'être simplement sa maîtresse.

Elle se refusa donc à Mao.

Naturellement, ce refus ne fit qu'aviver en lui le désir de la posséder. Et cette obstination à lui résister éveilla apparemment chez le jeune homme quelque chose de nouveau. Une sorte de respect, peut-être même un commencement d'amour. En tout cas, que cela fût par la sincérité de ses emportements amoureux ou par cette habileté dialectique et cette force de persuasion éprouvée au cours de ses pérégrinations sensuelles, Mao parvint à se faire éloquent en écrivant à la « cruelle Kaihui » des lettres d'un romantisme passionné.

C'est alors que survint la mort du père de la jeune femme. Une perte qui laissait un grand vide dans son existence. Un vide qui ne demandait qu'à être comblé. Mao, toujours présent, était devenu un soutien essentiel : « J'en étais devenue amoureuse après avoir beaucoup entendu

parler de lui et avoir lu un grand nombre de ses articles…
Mais j'avais beau l'aimer, je ne voulais pas le montrer.
J'étais convaincue que l'amour était entre les mains de
la nature et que je ne devais pas avoir la présomption de
l'exiger, ni de le rechercher[16]… »

Cette même année, en 1920, Kaihui et Mao devinrent
amants, puis, plus surprenant, ils se marièrent. Pourtant,
Mao considérait plus que jamais le mariage comme un
instrument d'oppression bourgeoise, mais peut-être avait-
il fini par comprendre que cela devait être le prix à payer
pour avoir Kaihui.

Cependant, peut-être désireux de montrer qu'il était
toujours un ardent révolutionnaire et que le mariage ne
l'avait pas transformé en morne bourgeois, Mao s'arrangea pour être infidèle dès le premier jour… avec la
cousine de sa femme.

Enfin, malgré cette première incartade, qui fut suivie
de bien d'autres, Mao Zedong parvint à conserver un
semblant d'harmonie dans son couple.

Cela lui fut d'autant plus facile que l'année suivante,
en 1921, s'ouvrit le premier congrès du Parti communiste
chinois.

Il allait s'y consacrer corps et âme.

Le congrès ne comprenait que 57 membres, mais cela
suffisait à Mao qui avait enfin une tribune où exposer
librement ses idées. Le moment était venu de se venger
de ces professeurs et de ces intellectuels pékinois qui
l'avaient méprisé à cause de son origine paysanne et de
ses façons pas assez distinguées à leur goût.

Dans son réduit qui lui servait de bureau, il avait eu tout
le loisir de réfléchir « comment sauver la Chine ». Il avait
lu les philosophes grecs, pour qui le meilleur gouvernement reposait entre les mains d'un despote éclairé. Il était
évident qu'une démocratie ne pouvait qu'être le triomphe

de la « sottise du peuple[17] » puisque le dirigeant élu n'était pas forcément le plus capable ou le plus courageux, mais simplement le plus populaire. Il n'y avait pas d'autres solutions que de détruire le pays pour le reconstruire sur de nouvelles bases.

Faire *tabula rasa* du passé pour édifier une nouvelle forme de gouvernement. Supprimer tous les éléments corruptibles et immoraux, à commencer par les intellectuels qu'il faudrait « rééduquer ».

Pour cela, le parti venait de forger la meilleure des armes : « Le communisme n'a rien à voir avec l'amour : le communisme est un excellent marteau que nous employons pour détruire notre ennemi[18]... »

Le marteau venait de remplacer le pinceau. Mao Zedong avait enfin réalisé quelle était sa destinée. Bientôt, les fleuves de la pensée et de l'action se jetteraient dans un océan d'atrocités...

« La révolution n'est pas un dîner de gala. »

MAO ZEDONG

---

1 Pour reprendre une expression généralement employée pour l'écrivain japonais Mishima Yukiô à la vie également si pleine de contradictions, « où quatre fleuves, l'écriture, le théâtre, le corps et l'action finissent tous par se jeter dans le fleuve de la fertilité »...

2 La Xinmin Xuehui, fondée avec Cai Hesen en 1917.

3 Edgar Snow, *Étoile rouge sur la Chine*, Stock, 1965, p. 127.

4 Ibid., p. 127.

5 Wu Bing, *La Calligraphie des empereurs et des dirigeants modernes*, La Chine au présent, 2008.

6 Il existe à Changsha, sa ville natale, une statue géante de 32 mètres de Mao Zedong affublé d'une belle coiffure romantique lui donnant une étonnante ressemblance avec lord Byron.

7 Pascal Varejka, dans *Le Guide suprême : petit Dictionnaire des dictateurs*, Ginkgo, 2008, p. 120.

8 E. Snow, *Étoile rouge*, op. cit., p. 128.

9 Nora Wang, *Mao Zedong : enfance et adolescence*,
   Autrement, 1999, p. 156.

10 Id.

11 Ibid., p. 146.

12 Cité par Diane Ducret dans *Femmes de dictateurs*, op. cit., p. 259-260.

13 Il y en aura quatre.

14 Véronique Chalmet, *L'Enfance des dictateurs*, Prisma, 2013, p. 115.

15 Ibid., p. 111.

16 D. Ducret, *Femmes de dictateurs*, op. cit., p. 260.

17 Textes de jeunesse de Mao, juin 1912-novembre 1920, dans V. Chalmet,
   L'Enfance, op. cit., p. 119.

18 A. Conte, *Les Dictateurs*, op. cit., p. 361.

HITLER, l'amour est un enfant de bohème, la haine aussi

Avant de laisser dans l'histoire une empreinte sanglante et indélébile, les seules taches qui maculèrent les doigts du jeune Adolf Hitler furent celles de la peinture dont il se servait pour ses toiles. Hélas, ses ambitions ayant été contrariées dans ce domaine, l'artiste allait explorer d'autres voies, donnant un autre cours à son existence et faisant, par là même, basculer des millions d'autres vies dans l'horreur la plus absolue.

On a souvent cherché dans l'amertume d'une ambition déçue les germes du mal qui allait pousser cet homme à commettre les pires monstruosités, mais on ne peut réduire autant de souffrances, celle de la guerre, du génocide et d'une dictature brutale et sanguinaire, au seul fait d'un échec artistique. Cependant, rien n'empêche d'imaginer un Hitler qui, soutenu par un talent artistique supérieur, peintre heureux et célébré, ne serait jamais devenu le monstre qu'on connaît :

« Que se serait-il passé si l'Académie des beaux-arts en avait décidé autrement ? Que serait-il arrivé si, à cette minute précise, le jury avait accepté Adolf Hitler ? Cette minute-là aurait changé le cours d'une vie, mais elle aurait aussi changé le cours du monde. Que serait devenu le vingtième siècle sans le nazisme ? Y aurait-il eu une Seconde Guerre mondiale, cinquante-cinq millions de morts dont six millions de Juifs dans un univers où Adolf Hitler aurait été un peintre[1] ? »

Un questionnement qui invite aux plus extravagantes uchronies et qui s'impose dans la mesure où tout prédestinait le jeune Adolf à rester l'être médiocre et insignifiant qu'il fut dans sa jeunesse. Une jeunesse viennoise qui ressemblait à celle d'Arthur Schnitzler quand le jeune homme arriva à Vienne en 1907 pour le concours d'entrée de l'Académie des beaux-arts.

La cohorte de ses démons se tenait encore sournoisement tapie dans l'ombre, et la seule obsession d'Adolf Hitler était alors de réussir comme peintre. Ayant trouvé une chambre au deuxième étage du 29, Stumpergasse, chez une aimable logeuse polonaise, Mme Zakreys, il s'inscrivit sur un registre, comme devait le faire tout nouvel arrivant dans la ville : « Hitler, Adolf, né le 20 avril 1889 à Braunau-sur-Inn (Autriche), fils d'Aloïs Hitler, douanier, décédé, et de Klara Hitler. Peintre académique. »

En réalité, sa biographie était un peu plus compliquée que pouvaient le faire croire ces quelques lignes. Le jeune homme aurait dû s'appeler Adolf Schickelgruber, d'après le patronyme que son père Aloïs porta pendant quarante ans. Né d'un père inconnu, Aloïs fut peut-être le fruit d'une liaison illégitime de Maria Schickelgruber avec le fils d'une famille juive où elle travaillait comme servante.

En se remariant tardivement avec Georg Hiedler, Maria permit à celui-ci d'adopter officiellement l'enfant et de lui donner son nom. Hiedler devint Hitler. Ce même Hitler qui allait exiger de chaque Allemand la preuve d'une ascendance aryenne des quatre grands-parents, ce qu'il aurait été bien en peine de prouver lui-même.

Aloïs, ayant probablement décidé de resserrer les liens familiaux, épousa à l'âge de 48 ans, en troisièmes noces, sa nièce[2] Klara âgée de seulement 25 ans.

Le degré de consanguinité des époux nécessita une dispense pontificale qui fut obtenue pour une prétendue erreur généalogique. L'union ne fut guère heureuse. La jeune femme perdit trois enfants

avant la naissance d'Adolf, et, comme l'enfant grandissait, le père, brutal et autoritaire, ne fit guère preuve de beaucoup de tendresse. Après plusieurs déménagements au gré des différentes mutations d'Aloïs, la famille s'installa à Linz, où le père acheta une ferme pour sa retraite.

En 1900, Adolf fut inscrit au collège le plus proche, la *Realschule*, afin d'apprendre les rudiments lui permettant de devenir un futur fonctionnaire. Mais le garçon ne s'y montra guère brillant.

Peu lui importaient les sciences et les matières technologiques puisqu'il ne se sentait appelé que par une seule et belle destinée : celle de devenir un grand artiste.

Dès lors, Hitler s'y montra « obtus, indiscipliné et médiocre, incapable de se concentrer et coléreux, bien que démesurément vaniteux[3] ». Sa médiocrité, qui rendit ses relations avec son père encore plus conflictuelles, fut sans doute mise en relief par la présence d'un camarade d'école au génie précoce et éblouissant : Ludwig Wittgenstein.

Ainsi, il est saisissant de voir figurer sur la même photo de classe deux garçons dont la destinée allait être diamétralement opposée : un des pires criminels de l'histoire et un des plus grands philosophes de son temps[4].

En 1903, son père mourut d'une rupture d'anévrisme, puis, quatre ans plus tard, ce fut au tour de sa mère de disparaître, à l'âge de 47 ans, d'un cancer du sein. Le garçon, qui avait connu entre-temps une scolarité plutôt laborieuse, put enfin partir pour Vienne afin d'y tenter la chance de sa vie : intégrer l'Académie des beaux-arts :

« Muni d'une importante collection de dessins, je m'étais mis en route, persuadé que ce serait un jeu d'être reçu. J'avais été de beaucoup le meilleur dessinateur de la *Realschule* et j'avais depuis considérablement augmenté mes capacités. Assez satisfait de moi-même, j'avais excellent espoir[5]. »

Cependant, ce qu'Hitler n'avait osé avouer à sa famille, c'est qu'il venait déjà de passer le concours et que cette première expérience s'était soldée par un échec. En octobre 1907, trois mois avant le décès de sa mère, il s'était présenté à l'examen.

Pour réussir l'épreuve, il lui avait fallu choisir parmi plusieurs thèmes : « Adam et Ève chassés du paradis terrestre », « Le retour du Fils prodigue », « Caïn tue Abel », « Les trois Rois mages »… Hélas, le jeune peintre fut refusé à l'épreuve libre de présentation de dessins antérieurs avec cet avis de l'examinateur : « Travaux insuffisants. Trop peu de portraits[6]. »

Après cet échec, Hitler envisagea pendant un temps de devenir architecte.

« J'étais si sûr du succès que l'annonce de mon échec me frappa comme un coup de foudre dans le ciel clair. Je devais pourtant bien y croire. Lorsque je sollicitai du recteur l'explication de mon échec, il me déclara que les dessins présentés révélaient mon inaptitude à la peinture, mais révélaient par contre des possibilités pour l'architecture. On ne pouvait au premier abord imaginer que je n'aie reçu un enseignement correspondant[7]. »

Cependant, parce qu'il n'était pas titulaire de l'*Abitur*, l'équivalent du baccalauréat, l'accès à l'École d'architecture lui fut interdit.

Il ne lui restait plus qu'à persévérer dans la peinture.

« Je partis pour Vienne muni d'une valise d'habits et de linge. J'avais dans le cœur une inébranlable volonté. Cinquante ans plus tôt, mon père avait réussi à forcer son destin. Je ferais comme lui. Je deviendrais "quelqu'un", mais pas un fonctionnaire[8] ! »

Le jeune homme était d'autant plus sûr de lui qu'une amie de la famille, dont la mère était amie d'un chef décorateur de l'Opéra, professeur à l'École des Arts décoratifs, venait de lui procurer une lettre de recommandation :

Le fils d'un de mes locataires se destine à la carrière d'artiste peintre. Depuis l'automne, il étudie à Vienne. Il s'est présenté à l'Académie des beaux-arts, mais n'a pas été admis et poursuit maintenant ses études dans un établissement privé... C'est un jeune homme de dix-neuf ans, sérieux, ambitieux, gentil et ordonné, d'une excellente famille. Sa mère est morte peu avant Noël... Il s'agit de la famille Hitler. Le fils pour lequel je voudrais intervenir s'appelle Adolf. [...] Il n'a qu'un seul désir : faire des études sérieuses. À en juger par tout ce que je sais de lui, il ne perdra certainement pas son temps. Il poursuit des projets précis. Je pense qu'il mérite qu'on soutienne ses efforts. En l'aidant, tu feras peut-être une bonne action[9].

Hitler rencontra effectivement le chef décorateur, mais sans parvenir à susciter sa sympathie. Il ne ressortit de l'entrevue que muni d'une nouvelle recommandation pour un professeur de lycée donnant des cours privés et dont il allait pouvoir fréquenter l'atelier. Personne ne pouvait penser en voyant ce petit jeune homme de 19 ans, maigre, renfermé et timide, qu'il se trouvait en face du futur maître de l'Allemagne. Désemparé par la mort toute récente de sa mère, hypernerveux, avec de brusques éclats de violence, il ne savait manifestement pas encore quoi faire de lui-même.

L'année 1908 ne s'avéra guère plus prometteuse que la précédente. À une différence cependant : au mois de février, un ami d'adolescence, August Kubizek, emménagea avec lui dans une chambre louée au 29 de la Stumpergasse, à Vienne. Le quartier était gris et pauvre, la chambre délabrée ouvrait sur une cour sombre et était tout juste assez grande pour contenir deux lits et un vaste piano à queue en location. Cependant, ces deux provinciaux s'imaginèrent probablement que la bohème à deux allait être plus facile à vivre.

Hitler s'occupa à peindre à l'aquarelle, en petits formats, les mêmes motifs : le parlement de Vienne, l'opéra, la Ringstrasse, monnayant principalement ses œuvres dans des boutiques et des cafés en plein air et essayant de nouer et de cultiver des relations utiles à sa future carrière artistique. Pour cela, il savait se montrer particulièrement obséquieux, empressé et opiniâtre.

Tout était bon pour s'attirer les bonnes grâces de riches mécènes. Il ne parvint cependant qu'à stimuler la pitié de quelques protecteurs très vite découragés par la qualité médiocre des tableaux. Il apparaissait très vite, même aux moins connaisseurs, que le talent de ce jeune peintre ne s'étofferait jamais, mais resterait confiné dans une maîtrise et une sensibilité artistique douteuses. Hitler travaillait d'après des cartes postales, comme le faisait à l'époque un jeune peintre parisien : Maurice Utrillo, mais on était loin d'atteindre au même résultat. Ce qui le poussait, à raison, à éprouver une grande réticence à réaliser des portraits. Le jeune Hitler peignait principalement les façades des maisons qu'il représentait avec minutie, mais sans aucune émotion. Ses paysages n'étaient pas ceux de Corot, ses portraits n'avaient rien d'un Rembrandt, et les ruelles qu'il aimait tant représenter n'avaient pas l'âme d'un Vermeer. Ce n'étaient que des mondes glacés et désincarnés, illustrés d'une façon pauvrement scolaire.

L'absence de personnalité, la froideur, la platitude y étaient bien trop évidentes.

Comme si son regard glacé était incapable de percevoir l'élément humain sans lequel tout urbanisme n'est que décor artificiel de théâtre. D'ailleurs, les quelques citadins qui figuraient sur ses toiles semblaient réellement empruntés et peu naturels. Hitler, architecte contrarié, était décidément plus fait pour la froide représentation des bâtiments néoclassiques.

Pendant ses loisirs, le jeune homme lit Schopenhauer, Nietzsche, Goethe[10] et Stifter. Il n'était donc pas étranger à tout romantisme, lequel finit immanquablement par prendre des tonalités wagnériennes et se perdre dans une mythologie germanique qui le fascinait de plus en plus. Impuissant à s'épanouir dans une vie sociale satisfaisante, le jeune homme se perdait dans un imaginaire fantasmé. D'ailleurs, son ami rapporta à plusieurs reprises l'incapacité de plus en plus grande de son camarade à travailler : « Tous les siens le considéraient comme un propre-à-rien, fuyant a priori toute espèce de gagne-pain[11]. » Hitler se levait fort tard, lisait pendant une partie de la nuit, écrivait nerveusement, corrigeait vaguement ses dessins. Il prit des habitudes de paresse, auxquelles il n'était que trop porté par nature. Jointes à ses habitudes de dissipation et à ses nombreuses sorties à l'opéra[12], elles vinrent rapidement à bout du petit capital qu'il avait hérité. Pourtant, contrairement à ce qu'il prétendra plus tard, il n'était absolument pas sans ressources puisqu'il touchait une pension mensuelle de 25 couronnes en tant qu'orphelin de fonctionnaire, à laquelle s'ajoutaient sa part dans la succession de sa mère et un revenu provenant de l'héritage paternel qui lui était versé mensuellement par son tuteur. Ce qui représentait au total au moins 83 couronnes par mois, quand un employé des postes en touchait 60. Somme considérable qui lui aurait permis de vivre encore quelque temps sans travailler, surtout qu'il trompait son ami Kubizek, qui s'imaginait qu'Adolf ne touchait que sa pension d'orphelin et se privait pour lui.

Cette même année 1908, il tenta à nouveau l'examen d'entrée à l'Académie des beaux-arts. Cette fois-ci, il ne fut même pas admis à la deuxième partie de l'examen.

Il dut ressentir ce second échec comme une véritable catastrophe, une humiliation profonde qu'il n'oublia jamais. « Parmi les professeurs figuraient quelques Juifs, et il aurait juré de se venger un jour[13]. »

En outre, non seulement il avait échoué, mais son ami fut admis au conservatoire. Il ne pouvait y avoir pire situation pour lui qui se croyait déjà méprisé et humilié par tous les autres.

Son ami August Kubizek écrira quarante ans plus tard : « Son état d'âme me causait du souci. Il se torturait, se faisait des reproches, accusait son époque, le monde, l'humanité tout entière de ne pas le comprendre, de ne pas lui donner sa chance. Il se sentait trahi ; persécuté. Je le vois encore criant sa haine dans la chambre[14]. »

Hanté par la peur d'aller dans le sens de l'inaboutissement, Hitler va peu à peu cultiver le rêve de l'anéantissement, celui d'ennemis qu'il se donne en se persuadant qu'ils sont à l'origine de sa médiocrité. Seul geste de générosité de sa part, et bien qu'il fût déjà profondément antisémite, Hitler offrit une de ses aquarelles au médecin juif qui s'était occupé de sa mère[15].

Mais, pour l'heure, ne pouvant faire l'aveu de son échec, Hitler prit la décision d'abandonner son ami et de partir sans donner de nouvelles. Puisque la destinée l'a voulu ainsi, il continuera seul, en autodidacte.

Le 18 novembre 1908, lassé de mener cette existence, il déménagea de chez Mme Zakreys sans laisser d'adresse et sans avertir Kubizek.

Il ne le reverra que trente ans plus tard. Le peintre académique sera alors chancelier, l'homme le plus puissant d'Europe, et son ami, employé municipal dans une petite ville d'Autriche.

Le jour même, Hitler s'installa chez une logeuse nommée Hélène Riedl, où il s'inscrivit en qualité d'étudiant.

Un étudiant un peu particulier.

Se considérant comme génial, il négligea délibérément de se constituer une formation artistique et se laissa aller à des fantasmagories où la gloire et la fortune venaient récompenser son génie enfin reconnu. Ne pouvant trouver un assouvissement dans l'existence qu'il menait et qui ressemblait de moins en moins à celle qu'il avait espérée, le jeune homme se réfugiait de plus en plus dans l'imaginaire, ce qui ne fit qu'empirer sa situation.

Incapable de s'astreindre à une discipline personnelle et persuadé en son immense orgueil que par lui-même il savait déjà tout, Hitler se contenta de puiser dans les livres un pseudo-savoir artistique et négligea d'envisager sérieusement de trouver une situation moins précaire. Si ce n'était pas encore la misère, il commençait à se trouver financièrement à l'étroit, et les quelque 70 couronnes de revenu comblaient à peine ses dépenses. Les cours, le matériel de peinture, les livres et ses entrées à l'opéra lui avaient coûté cher.

Il eut bien sûr le projet d'une pièce de théâtre destinée à lui apporter la gloire et la fortune tant espérées, mais son histoire de chevaliers teutoniques s'ébattant joyeusement dans les Alpes bavaroises tourna court. En fait, ce rêveur orgueilleux ne savait rien faire et il se demandait avec angoisse comment il pourrait réussir à s'insérer dans une société qui l'accueillait si mal.

Les mois passèrent et sa situation se dégrada sensiblement au point qu'à l'été 1909 il fut obligé de déménager pour s'installer dans un logement moins cher situé dans un arrondissement éloigné et plus populaire.

Il venait d'avoir vingt ans.

Sur sa fiche d'arrivée, le jeune homme avait fièrement inscrit « écrivain ». Sans doute cela sonnait-il mieux dans son esprit qu'« étudiant redoublant » ou « peintre raté ». La pauvreté lui semblait sans doute moins cruelle s'il se persuadait d'être en train de vivre une libre existence d'artiste bohème et de pouvoir s'élever dans son art au-dessus de son propre naufrage.

Opiniâtre et coriace dans son idéal, Hitler crut se grandir en s'obstinant à cultiver ses maigres talents. Tout renoncement ne pouvait être qu'une diminution de lui-même alors qu'il pouvait s'étourdir pleinement du sentiment sthénique d'entrer en lutte avec l'existence pour se forger un destin à la hauteur de son idéal :

« La déesse de la nécessité menaça souvent de me briser, mais ma volonté s'accrut avec l'obstacle et me fit triompher. Je sais gré à cette époque de m'avoir durci et rendu capable d'être dur[16]. »

Une dureté qui fit dire à nombreux historiens que « le chemin d'Hitler a commencé à Vienne[17] ».

Il essaya par ailleurs de composer des nouvelles qu'il porta aux journaux, mais sans arriver à rien. Trois mois plus tard, ses maigres économies avaient définitivement fondu sous le soleil viennois. Sa situation désespérée l'obligea à déménager. La fiche d'arrivée portant la mention « parti sans laisser d'adresse », il est facile d'imaginer qu'il n'avait alors plus de quoi payer son loyer.

L'automne approchant, le jeune homme dut se contraindre à rechercher du travail pour subsister. Ses économies épuisées, il touchait le fond. À la rue, il dormit dans un café ou un refuge pour sans-abri. Il devait absolument réagir :

« Je cherchais seulement du travail pour ne pas mourir de faim et afin de pouvoir, même tardivement, poursuivre mon instruction[18]. »

Sans grand succès :

« Je m'aperçus bientôt qu'il était moins difficile de trouver un travail quelconque que de le conserver. L'insécurité du pain quotidien m'apparut comme un des côtés les plus sombres de cette vie nouvelle[19]. »

Mais que devait-il enfin faire pour donner au monde la preuve de son génie ?

Faute de pouvoir répondre dans l'immédiat à cette question, Hitler dut se résoudre aux asiles pour indigents. Après avoir pendant quelque temps erré sur les routes d'Allemagne et d'Autriche, le jeune homme se mit à fréquenter les institutions charitables, notamment la distribution de soupe gratuite de l'hôpital des sœurs de la Miséricorde, où il fut aperçu par une parente de son ancienne logeuse en train de « prendre son tour dans la queue […] pour la soupe du couvent... Il était très négligé dans sa tenue et il m'a fait pitié ; lui qui était auparavant toujours si bien habillé[20] ». Il trouva ensuite refuge dans un asile pour sans-logis construit à l'écart, derrière le cimetière de Meidling.

Il y fit la connaissance d'un Tchèque du nom de Reinhold Hanish, ancien graveur devenu vagabond, tombé comme Hitler dans la misère :

« Ce fut la plus triste période de mon existence. Cinq années pendant lesquelles je dus, comme manœuvre d'abord, ensuite comme petit peintre, gagner ma subsistance, maigre subsistance, qui ne pouvait même pas apaiser ma faim chronique. Car la faim était alors le gardien fidèle qui ne m'abandonna jamais, la compagne qui partagea tout avec moi. Chaque livre que j'achetai eut sa participation ; une représentation à l'Opéra me valait sa compagnie le jour suivant ; c'était une bataille continuelle avec mon amie impitoyable. J'ai appris cependant alors comme jamais avant. Hors mon architecture, hors les rares visites à l'Opéra, fruit de mes jeûnes, je n'avais d'autre joie que des livres toujours plus nombreux[21]. »

Il survit de menus travaux épisodiques. S'il ne devint pas, contrairement à ce qu'on rapporta, peintre en bâtiment, il loua néanmoins ses services, à la journée, sur des chantiers de construction pour pousser des brouettes de mortier. Puis, il travailla comme porteur à la gare Westbahnhof.

En février 1910, sa situation s'améliora et il put obtenir une chambre dans un foyer pour hommes. Il venait de soutirer à sa tante quelques dizaines de couronnes lui permettant de s'acheter du matériel d'aquarelliste et un manteau d'hiver. Il se remit donc à peindre des cartes postales et à confectionner de petits tableaux qu'il pouvait espérer vendre entre trois et cinq couronnes.

Pour cela, il peignait les sujets demandés d'après un vieux livre que l'on offrait à l'époque aux enfants des écoles publiques à Vienne en guise de souvenir.

Par chance, Hanish, son nouvel ami, parvint à vendre quelques-unes de ses aquarelles.

Les quelques couronnes qu'il en tira suffirent à redonner espoir au jeune peintre qui décida aussitôt de s'associer avec ce compagnon d'infortune. Une décision judicieuse, car Hanish se révéla être un habile vendeur, et Hitler put placer plusieurs toiles. Enthousiasmé par ce qu'il considérait comme une sorte de reconnaissance tardive de son talent et un avant-goût prometteur de succès futurs, il se mit à peindre à la chaîne les mêmes séries de motifs et parvint même à décrocher quelques contrats publicitaires : une réclame pour une marque de savon, une autre pour une poudre contre la transpiration...

Mais Hanish, peu scrupuleux, entreprit de gruger son associé sur les prix, allant même jusqu'à réaliser des faux Hitler pour augmenter ses bénéfices.

Son associé finit par s'en apercevoir et déposa plainte au commissariat. Hanish fut condamné à sept jours de prison.

La belle association était terminée et les deux hommes se séparèrent pour ne plus jamais se revoir[22].

Après la dissolution de leur association, Hitler trouva enfin un généreux mécène en la personne de Samuel Morgenstern, un marchand d'art tenant une boutique dans un quartier chic de Vienne. Certes, le marchand était juif[23], mais l'intérêt d'Adolf Hitler l'emportait encore sur son antisémitisme.

Le jeune peintre se présenta donc à lui avec dans son carton une dizaine d'aquarelles représentant des monuments de la ville. Le marchand pensa aussitôt avoir des clients pour ce genre de sujets. Un marché fut conclu entre les deux hommes.

C'était inespéré pour Hitler qui allait alors connaître la période la plus féconde et la plus faste de son activité artistique. Il allait vendre certaines toiles plus de 100 couronnes[24].

Dernier avatar de sa vie d'artiste, Adolf Hitler quitta Vienne pour Munich au printemps 1913. Sans doute se laissa-t-il porter par l'espoir de remporter un succès plus grand que la modeste réussite qu'il venait de connaître dans une activité intéressante d'un point de vue financier, mais assez peu gratifiante dans l'esprit d'un artiste se sentant appelé à une gloire immortelle.

Il avait alors 24 ans, 80 couronnes en poche et croyait fermement en son avenir.

Il allait très vite déchanter.

Il s'installa au 34, Schleissheimerstrasse, à un jet de pierre à peine où Lénine avait habité quelques mois plus tôt, et se remit au travail.

Il acheta un lot de cartes postales de Munich qu'il entreprit de copier pour en faire des vues faciles à négocier. La méthode avait fait ses preuves, mais il n'hésita pas à pousser la facilité en reproduisant jusqu'à des douzaines de fois le même bâtiment, mais avec des ombres différentes pour faire croire à un motif inédit.

En vain.

Sans Morgenstern, il ne parvint pas à trouver un réseau d'amateurs susceptibles d'être intéressés par ses aquarelles. Quelques commandes lui permirent néanmoins de survivre. Il peignit en série l'annexe de l'hôtel de ville, où avaient lieu les mariages, et vendit ses aquarelles en souvenir aux gens de la noce. Il arriva aussi à décrocher une commande importante, celle d'un grand tableau de fleurs, mais le cœur n'y était plus.

« Je ne voulais plus être peintre. Je ne peignais que par nécessité, le strict nécessaire pour vivre[25]. »

Déjà une autre passion a supplanté celle de son enfance : la politique.

Quelques mois plus tard, l'Europe entière basculera dans l'horreur de la Première Guerre mondiale. Ce sera l'occasion pour Hitler de s'engager en abandonnant à jamais les idéaux de sa jeunesse.

On estime qu'Hitler a réalisé environ 2000 œuvres[26] entre 1908 et 1914, dont il ne reste que quelque 200 exemplaires.

Sinistre ironie de l'histoire, ce mauvais peintre sera finalement exposé, en juin 1984, dans un des musées les plus prestigieux du monde, le musée des Offices, aux côtés de Raphaël, Léonard de Vinci, Botticelli et Rembrandt. À cette occasion, le président de la République italienne, Sandro Pertini, aura cette parole : « Ah ! si seulement il était resté peintre… »

> *« Après coup, l'on regrette*
> *d'avoir été trop bon. »*
> Hitler

1 Éric-Emmanuel Schmitt, *La Part de l'autre*, Le livre de poche, 2012, p. 11-12.

2 Assez curieusement, Adolf Hitler renouvellera l'inceste paternelle en tombant amoureux à son tour de sa propre nièce, Geli Raubal, fille de sa demi-sœur Angela Hitler, issue d'un premier mariage de son père. La jeune Geli se donnera la mort en 1931, avec le pistolet de son oncle. Hitler, dont la responsabilité est certaine dans ce suicide, en sera profondément accablé et ne parviendra à oublier Geli qu'en faisant la connaissance d'Eva Braun, qui connaîtra la même fin tragique.

3 V. Chalmet, *L'Enfance*, op. cit., p. 83.

4 Cette étrange familiarité poussa certains auteurs à voir en Wittgenstein le Juif auquel Hitler fit référence dans *Mein Kampf* dans le passage concernant sa scolarité à Linz. Oppressé et humilié par l'incroyable génie du jeune Ludwig, il en aurait éprouvé une haine profonde à l'origine de son antisémitisme. La chose étant cependant impossible à établir, mieux vaut s'en tenir à la maxime wittgensteinienne : « Ce dont on ne peut parler, il faut le taire. »

5 Adolf Hitler, *Mein Kampf*, édition française, p. 25.

6 Marc Lambert, *Un peintre nommé Hitler*, France-Empire, p. 27.

7 A. Hitler, *Mein Kampf*, op. cit., p. 25.

8 Ibid., p. 23.

9 M. Lambert, *Un peintre*, op. cit., p. 34-35.

10 Le camp de Dachau sera édifié auprès d'une ville appréciée des artistes peintres et où s'étaient établis Max Liebermann, le peintre impressionniste, et Carl Spitzweg, un des maîtres de la période Biedermeier. Après avoir fait un enfer de ce Barbizon allemand, Hitler ordonnera la construction du camp de Buchenwald sur un des lieux de promenade préférés de Goethe. Les nazis pousseront le cynisme jusqu'à épargner un chêne se trouvant au milieu du camp de concentration et sous lequel le poète aurait eu l'habitude de se reposer, de méditer et de travailler.

11 Brigitte Hamann, *La Vienne d'Hitler : les années d'apprentissage d'un dictateur*, Éditions des Syrtes, 2001, p. 173.

12 Pendant qu'Hitler s'enthousiasmait d'une représentation du *Tannhäuser* de Wagner, rêvant peut-être déjà à l'invasion de la Pologne, à quelques places de là se trouvait Herzl, le fondateur du sionisme, dont l'inspiration fut différente : « C'est en écoutant la grande marche de *Tannhäuser* que m'est venue la vision d'Israël (Steiner, *Barbarie de l'ignorance*, p. 82).

13 Marlis Steinert, *Hitler*, Fayard, 1991, p. 46.

14 August Kubizek, *Adolf Hitler, mon ami d'enfance*, Gallimard, 1954.

15 Werner Maser, *Prénom : Adolf. Nom : Hitler*, Plon, Paris, 1973, p. 12-33.

16 A. Hitler, *Mein Kampf*, op. cit., p. 26.

17 Titre d'un ouvrage de Jon Jones, *Hitler's Weg begann in Wien, 1907-1913*, Wiesbaden-Munich, Limes, 1980.

18 A. Hitler, *Mein Kampf*, op. cit., p. 40.

19 Ibid., p. 25.

20 B. Hamann, *La Vienne d'Hitler*, op. cit., p. 187.

21 A. Hitler, *Mein Kampf*, op. cit., p. 43.

22 Lorsque, quelques années plus tard, l'Allemagne envahit l'Autriche, Hanish ne tardera pas à être arrêté par la Gestapo. Hitler, qui pardonnait une offense encore moins qu'il ne l'oubliait, se réjouit de pouvoir le faire envoyer dans un camp de déportation, où son ancien ami trouva rapidement la mort.

23 Sans doute nostalgique de cette époque, Hitler le fera prévenir peu avant de mettre en œuvre sa politique d'extermination, et Morgenstern pourra s'exiler à temps aux États-Unis.

24 Ce qui commençait à représenter une somme conséquente, un instituteur débutant gagnant alors 80 couronnes par mois.

25 A. Hitler, *Mein Kampf*, op. cit., p. 35.

26 Une aquarelle signée A. Hitler et portant la mention « Cabinet médical Sigmund Freud, Vienne » fut récemment mise en vente à Londres pour plusieurs dizaines de milliers d'euros. L'inscription relança l'hypothèse d'une rencontre entre Hitler et Freud, qui vécurent tous les deux dans la capitale autrichienne avant la Première Guerre mondiale. La toile, qui aurait orné la salle d'attente du cabinet, fut dénichée en Autriche par un soldat américain en 1945. On trouvera cette hypothétique relation remarquablement romancée dans l'œuvre d'Éric-Emmanuel Schmitt, *La Part de l'autre*.

Staline, au nom du père, du fils et du communisme

Il n'existe pas d'échelle de Richter du crime politique, mais, si l'on pouvait concevoir une hiérarchie de l'horreur, Hitler et Staline se trouveraient indiscutablement au sommet.

Pourtant, alors que le nom d'Hitler est synonyme de mal absolu et que le nazisme se trouve légitimement et universellement exécré, le communisme continue de bercer la nostalgie d'irréductibles idéalistes.

C'est oublier un peu légèrement que Staline, responsable de la mort de plus de 20 millions de personnes[1], est considéré comme le plus grand criminel de tous les temps. La sensibilité politique dépend peut-être de l'éloignement géographique : monstruosité en deçà de l'Oural, indulgence au-delà…

Mais il faut reconnaître que Staline fit tout pour améliorer considérablement son image et donner à tous le caractère d'un aimable et débonnaire patriarche moustachu, le « soleil des classes ouvrières du monde entier » veillant avec bienveillance sur tous, en bon « petit père des peuples ».

Une appellation mensongère qui cache une réalité d'autant plus terrible que Staline, comme Hitler, était initialement destiné à une tout autre existence.

Né pendant l'hiver 1878 à Gori, en Géorgie, Iossif[2] Vissarionovitch Djougachvili était alors vraiment un « petit père ». Un petit bonhomme malingre et maladif, tellement chétif qu'on l'avait surnommé Sosso, « le frêle ». En outre, son apparence paraissait plus fragile encore en raison d'une anomalie du pied gauche qui le handicapait considérablement. Les orteils de l'enfant étaient palmés et, aux yeux de ces rudes habitants des contrées lointaines, cela ne présageait guère de sa survie.

D'ailleurs, à l'âge de six ans, le garçon manqua de peu d'être emporté par une épidémie de variole. Contre toute attente, il s'accrocha encore à la vie[3].

Lorsque, plus tard, son père, humble cordonnier, rentrait ivre à la maison et, pour soulager ses propres frustrations, se mettait à battre ce fils unique dont on disait qu'il n'était pas de lui, le petit Sosso résistait toujours, alors même que certaines corrections le laissèrent pour mort et lui firent uriner du sang pendant plusieurs jours. Sa mère essayera de le protéger, mais elle était bien souvent occupée ailleurs : « Quand j'étais très jeune, je faisais le ménage chez les autres et, lorsque je rencontrais un beau garçon, je ne manquais pas l'occasion[4]. »

Malgré ce climat familial délétère, l'enfant grandissait et se développait, mais en mûrissant des désirs de vengeance qui ne s'éteindraient jamais. Intellectuellement précoce, il apprit rapidement à lire et à écrire, mais en prenant grand soin de cacher à son père ses nouvelles connaissances. L'homme n'aurait pas toléré que son « sale petit bâtard » fût plus instruit que lui. En outre, pour cette brute, les livres ne servaient à rien.

Pourquoi lire des romans puisque les histoires qu'on racontait étaient toutes inventées ? Ces mensonges ne pouvaient rien apprendre de vraiment utile sur la vie. Seuls les coups pouvaient enseigner l'essentiel, aider à s'endurcir et apprendre très tôt que l'existence n'était que souffrance : « J'ai bouffé de la vache enragée toute ma vie, tu feras pareil[5] ! »

Fort heureusement, en 1888, l'existence du garçon s'améliora lorsqu'il put entrer à l'école paroissiale de Gori, un joli bâtiment en briques de deux étages près de la nouvelle gare. Sa mère, décidant que son fils serait prêtre, venait de le destiner à la carrière ecclésiastique. Elle venait de perdre trois enfants en bas âge et projetait sa piété sur son fils survivant en qui elle plaçait désormais tous ses espoirs de rédemption.

De plus, dans cette petite ville qui était une des plus pauvres de Géorgie, cet endroit offrait la seule possibilité d'échapper au sort misérable qui était le lot de tous. Faire du petit Joseph un prêtre était, à ses yeux, la solution providentielle qui lui permettrait d'avoir une autre vie, une existence meilleure. Peut-être même un destin. C'est que secrètement sa mère allait jusqu'à rêver d'en faire un pope. Son enfant était tellement intelligent que cela semblait presque possible.

D'ailleurs, très vite, le garçon se montra à la hauteur de ses espérances. Élève le plus remarquable en cours, il était également le plus assidu à la messe. Un de ses camarades se souvenait du jeune Staline et de deux autres garçons à l'église, « en surplis, agenouillés, visages levés, chantant les vêpres d'une voix angélique tandis que les autres garçons se prosternaient, emplis d'une extase qui n'est pas de ce monde[6] ».

L'enfant mettait tellement d'enthousiasme et de talent à lire les psaumes à l'église que l'école reconnaissante lui offrit le livre des *Psaumes* de David, avec cette dédicace : « À Iossif Djougachvili [...] pour l'excellence de ses progrès et de sa conduite, et pour l'excellence de la récitation et du chant du Psautier[7]. »

Cependant, à dix ans, l'enfant montrait déjà un côté plus sombre. Les récits le présentaient comme pieux, travailleur et fermement décidé à réussir, mais aussi comme irascible, versatile et batailleur. Il devint à 10 ans chef de bande, prenant la tête d'une de ces troupes d'enfants qui se défiaient et se battaient à mains nues dans les rues de la ville.

Rixes brutales dans lesquelles il aimait écraser ses rivaux, et jamais dans le seul but de vaincre. Sans doute hérita-t-il de ces vieilles traditions des rudes montagnards du Caucase un goût prononcé pour la violence, la vengeance et les conspirations. Il nourrissait également, mais plus discrètement, une curieuse prédisposition pour la délation. Ses camarades se mirent à le surnommer le « Gendarme », car Joseph, devenu responsable de la classe, notait scrupuleusement le nom de quiconque était en retard ou essayait de tricher.

Un petit plaisir dont il faillit être définitivement privé. Son père, qui n'arrivait pas à accepter de voir son fils devenir un érudit, eut une violente dispute avec son épouse, à la suite de laquelle il retira Joseph du séminaire et l'envoya en apprentissage à l'usine. Mais la mère du petit Sosso ne plia pas devant la violence de son mari et se rebella sans doute pour la première fois de sa vie de femme. Elle alla trouver les prêtres de Gori et obtint qu'ils interviennent pour obliger le père à le retirer de l'usine.

Joseph ne tarda pas à retrouver les bancs du séminaire.

Une grande satisfaction pour la mère qui venait de remporter là une victoire décisive, et une chance pour l'enfant. Pourtant, si à ce moment précis son père « l'avait définitivement emporté, il n'y aurait pas eu de Staline et l'histoire du monde aurait eu un cours différent.

Pour se hisser jusqu'aux cimes du parti bolchevique dans les années 1920, il était essentiel de savoir manier la plume avec légèreté et conviction, et malgré toute la rancune qu'il accumula contre les prêtres du séminaire, Joseph leur était immensément redevable de l'avoir instruit, comme il l'était à sa mère d'avoir refusé la défaite[8] ».

Cependant, deux ans après son entrée au petit séminaire, son existence manqua, encore une fois, d'être interrompue brutalement. Il fut victime d'un grave accident qui faillit lui coûter la vie[9].

Alors qu'il se trouvait devant l'église, il fut renversé par un attelage dont le conducteur venait de perdre le contrôle. Le jeune Joseph s'en tira « miraculeusement[10] », mais allait toute sa vie garder des séquelles de ses blessures aux jambes. Son bras gauche, également touché, resta plus court et moins mobile que le droit. Cependant, nouvelle ironie de l'histoire, ce handicap allait lui permettre d'échapper à la conscription de 1916 et de survivre également à la Grande Guerre.

Joseph acheva son cycle d'études à la fin de l'été 1894 et sortit du petit séminaire de Gori avec la mention très bien. Il apprenait vite, faisant preuve d'une mémoire prodigieuse, et rafla tous les éloges : « D'après son relevé de notes, il excellait en tout (études de l'Ancien et du Nouveau Testament, catéchisme orthodoxe, liturgie, russe et slavon, géorgien, géographie, écriture, chants liturgiques russes et géorgiens[11])… »

La direction du petit séminaire de Gori orienta tout logiquement cet élève prometteur vers le grand séminaire de Tiflis[12] et procéda à son inscription. En septembre, âgé de quinze ans, Joseph partit pour la capitale géorgienne, à 75 kilomètres de là, pour entrer au grand séminaire et rejoindre 600 autres candidats à la prêtrise.

Ce séminaire était notoirement connu pour la sauvagerie de ses mœurs et sa pédagogie datant d'un autre âge. Les professeurs y étaient cruels et confits en dévotion, et, après des heures de détention en cellule consacrées à l'étude, les dortoirs n'offraient guère de repos et de sécurité, les violences et les viols commis par des brutes plus âgées y étant monnaie courante.

Ce grand bâtiment gris et malodorant ressemblait à une caserne et tenait plus du pénitencier religieux que d'une école de théologie. Les séminaristes, qui se destinaient à servir Dieu, le tsar et la Russie, y menaient une existence triste et monotone de détenus condamnés, accablés et repliés sur eux-mêmes. Ils se partageaient un dortoir de vingt ou trente lits au dernier étage.

La discipline et le règlement étaient très stricts. Ils se réveillaient chaque matin à 7 heures, enfilaient leur surplis, puis se rendaient à la chapelle pour les prières suivies du thé et des cours. L'élève de corvée lisait une autre prière. Les cours s'achevaient à 2 heures de l'après-midi.

À 3 heures, ils déjeunaient frugalement, ce qui n'empêchait pas les fréquentes intoxications alimentaires, puis ils disposaient d'une heure et demie de liberté avant l'appel de 5 heures ; après quoi, plus personne n'avait le droit de sortir. Après les vêpres, le souper était à 8 heures, suivi d'autres cours, puis d'autres prières, avant l'extinction des feux à 10 heures. Des mouchards étaient chargés de prévenir toute insubordination, les sorties étaient contrôlées, et les lectures, limitées. Dostoïevski, Tolstoï et Tourgueniev étaient interdits, alors que, bizarrement, la lecture plus « libertine » de Pouchkine était encouragée. Certains allaient se procurer en ville des livres et des journaux proscrits, même si la découverte d'un livre emprunté à la « Bibliothèque bon marché » risquait d'envoyer le coupable au piquet, debout dans la cuisine, ou plusieurs heures dans un cachot humide et froid.

Ainsi, un jour, la découverte par le recteur des *Travailleurs de la mer* que le jeune Joseph lisait en cachette lui valut un long séjour au cachot. L'adolescent appréciait particulièrement Victor Hugo, mais également Émile Zola, et *Germinal* était son livre préféré. Inévitablement, il fut surpris à lire « dans l'escalier de l'école » ce livre interdit et condamné « sur ordre du recteur à un séjour prolongé dans la cellule de châtiment et à une sévère réprimande[13] ».

Dans un premier temps, le jeune « Sosso » Djougachvili se montra calme, attentif, modeste et timide. Il devint même assez rapidement un étudiant modèle avec un « excellent cinq » en conduite, obtenant également cinq sur cinq en langue et en chant grégorien où sa voix d'ange le distingua parmi tous ses camarades.

C'était d'ailleurs en chantant dans la cathédrale de Sion qu'il était parvenu à s'acquitter des droits d'inscription. Huitième sur l'année entière, il fut cinquième de sa classe l'année suivante. Le jeune « Sosso » était intelligent, poète à ses heures, doté d'une excellente mémoire et particulièrement doué pour le chant, la logique et l'histoire.

Mais il était également taciturne, dissimulateur, rusé, fourbe, arrogant, cynique, brutal et dominateur envers ses camarades. Au séminaire régnait un certain esprit de subversion convenant de plus en plus au séminariste Djougachvili qui, par ailleurs, commença à se rebeller contre la sévérité du règlement.

Cela s'exprima d'abord par le vacillement de sa foi, comme il l'avoua à l'un de ses condisciples : « Tu sais, on se moque de nous, Dieu n'existe pas[14]. »

Comme il avait appris la dissimulation, il put continuer à faire illusion et répondre brillamment en classe, même sur les questions ayant trait à la religion.

La duplicité était devenue son lot quotidien. Jamais il n'aurait pu être à meilleure école pour apprendre le mensonge et la manipulation.

Puisqu'à ses yeux Dieu n'existait plus, tout lui était permis. De ce régime carcéro-clérical auquel il était soumis, il allait en tirer deux éléments qui s'avéreront plus tard déterminants : les bases de l'art politique, et un furieux anticléricalisme. Plus tard, Staline fera de ces années le moment-clé de sa transformation politique : « Je suis devenu socialiste au séminaire parce que le genre de discipline qui y régnait me mettait hors de moi[15]. »

Cependant, la rébellion du jeune Joseph s'exprima d'une façon plus nuancée. Le jeune homme intelligent, cultivé et épris des livres et de la littérature avait trouvé un moyen de s'évader grâce à la poésie. Bien entendu, c'était une activité qui était interdite.

Le séminaire avait vocation à former des serviteurs de Dieu et non de futurs vagabonds ayant l'esprit embrumé de rêves inutiles et de pensées dangereuses.

Ce fut donc sous pseudonyme qu'il réussit à faire publier sa première poésie, un poème intitulé « Le Matin », inspiré par son amour de la terre, de la nature, mais aussi par un certain patriotisme :

Épanoui, le bouton de rose
Se jette sur la violette au bleu pâlissant,
Et sous le souffle léger de la brise,
Le muguet s'incline au-dessus de l'herbe.

Dans l'ombre de la nuit, le chant de l'alouette
S'envole plus haut que les nuages,
Et les doux accents du rossignol
Depuis les taillis bercent les enfants :

Épanouis-toi, ô ma chère Géorgie !
Que la paix règne sur toi !
Et vous, mes amis, soyez studieux,
Pour la renommée de notre mère patrie[16] !

Il avait porté ses textes au célèbre journal *Iveria* (« Géorgie »), où il fut reçu par le prince Ilia Tchavtchavadze. Cet intellectuel, une sorte de nationaliste romantique, était alors considéré comme le plus grand poète du pays. Le prince fut suffisamment impressionné pour montrer l'ouvrage de l'adolescent à ses éditeurs. Ils aimèrent les vers et choisirent de publier cinq poèmes. Des poèmes qui chantaient la beauté de la nature et de la patrie, les difficultés et les espoirs du poète, sa vocation de barde, la lune, les fleurs et les petits oiseaux... Des thèmes romantiques conventionnels, mais qui ne manquaient pas d'émouvoir par leur fraîcheur et leur naïveté. Beau succès pour celui que Tchavtchavadze surnomma « le jeune homme aux yeux brûlants[17] ». Plus étonnant encore, ces textes allaient être largement lus et repris dans des anthologies des meilleurs poèmes du pays, faisant de Joseph Djougachvili un des poètes les plus prometteurs, un des classiques mineurs de la littérature géorgienne[18].

À ce moment-là, l'adolescent aurait très bien pu devenir un Paul Valéry géorgien ou un Saint-John Perse russe. Cela n'eût probablement pas bouleversé le monde des lettres, mais personne n'aurait jamais entendu parler de « Staline ». Un Staline qui confiera plus tard à un ami : « J'ai perdu tout intérêt pour l'écriture de poèmes, car cela requiert toute votre attention, une sacrée patience. Et à cette époque j'étais du vif-argent[19]. »

À l'automne de 1896, à 17 ans, Joseph mit moins de zèle dans ses études, s'écarta progressivement de la littérature et cessa complètement d'écrire des vers. Quelques mois après, il avait perdu tout intérêt pour le séminaire et pour la poésie. Cette année-là, il descendit de la cinquième à la seizième place. Il se mit peu à peu à détester les autorités, passant de la simple sympathie pour la pensée révolutionnaire à la franche rébellion, comme le montraient les rapports pour manquements répétés à la discipline :

« Au cours d'une inspection des effets d'un certain nombre d'élèves de cinquième année, l'élève Djougachvili, Joseph, a plusieurs fois élevé la voix contre les surveillants pour manifester son mécontentement concernant les fouilles occasionnelles chez les séminaristes. Il a notamment affirmé qu'aucun autre établissement ne pratique ce genre de perquisition. D'une manière générale, l'élève Djougachvili se montre grossier et irrespectueux envers les représentants de l'autorité, et il refuse systématiquement de saluer l'un de ses professeurs[20]... »

Aux yeux des autorités, l'élève Djougachvili était « tombé dans l'ornière[21] ». On le morigéna, le menaçant ou l'encourageant tour à tour, on essaya de le prendre en charge, puis de le surveiller plus étroitement. On s'efforça de lui faire comprendre ce qui était en jeu.

S'il se ressaisissait, il pouvait espérer aller jusqu'au bout de sa formation, ce qui était déterminant pour son avenir : seul un diplôme de fin d'études du séminaire pouvait lui ouvrir les portes de l'Université de Russie.

Mais tous leurs efforts furent inutiles. Ils ne s'étaient pas rendu compte que leur système éducatif, qui n'avait pas grand-chose d'éducatif, avait définitivement brisé cette jeune branche prometteuse. L'élève modèle de première année était devenu un agitateur contre lequel il n'y avait plus qu'à désespérer.

Peu à peu, le jeune homme s'était laissé pousser les cheveux d'une façon outrancière, avait troqué Victor Hugo pour Karl Marx et découvrait les œuvres d'un brillant radical nommé « Touline », un des pseudonymes de Vladimir Oulianov, autrement dit Lénine : « S'il n'y avait pas eu Lénine, dira Staline dans sa vieillesse, je serais resté enfant de chœur et séminariste[22]. »

Après ses lectures, il faisait le mur pour participer à ses premières réunions avec des cheminots, s'affiliant même à la branche locale du futur parti des bolcheviques.

En 1899, le séminariste Djougachvili, devenu membre d'un cercle révolutionnaire social-démocrate, osa un dernier coup d'éclat : il cacha dans les affaires person-nelles de ses camarades des pamphlets subversifs, puis il alla secrètement les dénoncer.

Le dortoir fut fouillé, on trouva les écrits compromet-tants. Les jeunes hommes eurent beau clamer leur inno-cence, les supérieurs, qui craignaient plus que tout l'esprit de contestation qu'ils sentaient grandir, n'eurent d'autre choix que de faire preuve d'une sévérité exemplaire. Quarante-cinq séminaristes furent expulsés et privés de toute chance d'intégrer un jour l'université.

Pure malfaisance de la part de Djougachvili ?

Non, habile, bien que malsain, calcul politique.

En leur faisant perdre le droit d'être prêtres, le jeune militant espérait les gagner à sa cause et en faire de bons révolutionnaires. Il était facile de gagner au communisme ceux qui n'avaient plus rien à perdre.

Rancune et jalousie faisaient les meilleures motivations. En mai 1899, bien qu'il prétendît plus tard avoir été exclu pour « propagande marxiste », il partit de son propre chef, l'esprit tranquille, juste avant les derniers examens.

Joseph Djougachvili venait de faire ses premières armes en politique en s'illustrant par une de ces sombres machinations dont il se ferait le terrible spécialiste. « Dans les grandes crises, le cœur se brise ou se bronze », dira Balzac. Djougachvili avait choisi de se faire le métal le plus dur. Un jour, il prendra le nom de Staline[23], l'« homme d'acier ».

Celui qui brise les corps et les âmes

Des années plus tard, alors qu'on lui demandait quel était son vœu le plus cher dans la vie, Staline aurait confié que son plaisir le plus grand était de « choisir une victime, préparer minutieusement le coup, assouvir une vengeance implacable et ensuite aller se coucher... Il n'est rien de plus doux au monde[24] ».

Ce que Boukharine devait appeler plus tard la « théorie de la douce vengeance » n'était peut-être qu'une lointaine réminiscence d'un ancien séminariste, Staline se souvenant du *Livre d'Ézéchiel*, dont il aurait fini par faire une lecture très personnelle : « J'exercerai sur eux de grandes vengeances, en les châtiant avec fureur. Et ils sauront que je suis l'Éternel, quand j'exercerai sur eux ma vengeance[25]. »

> « *La mort résout tous les problèmes ;*
> *plus d'hommes, plus de problèmes.* »
> JOSEPH STALINE

1 Stéphane Courtois, *Le Livre noir du communisme*, Robert Laffont, 1997, p. 14.
2 C'est-à-dire Joseph.
3 Il en conservera pendant toute sa vie des cicatrices au visage et aux mains.
4 V. Chalmet, *L'Enfance*, op. cit., p. 41.
5 Ibid., p. 43.
6 Simon Sebag Montefiore, *Le Jeune Staline*, Calmann-Lévy, 2008, p. 76.
7 Id.
8 Robert Service, *Staline*, Perrin, 2013, p. 39.
9 Ibid., p. 40.
10 Cette vie « miraculeusement » épargnée allait en condamner des millions d'autres...
11 R. Service, *Staline*, op. cit., p. 46.
12 Aujourd'hui Tbilissi.
13 S. S. Montefiore, *Le Jeune Staline*, op. cit., p. 98.
14 Jean-Jacques Marie, *Staline*, Fayard, 2001, p. 48.
15 Staline, *Œuvres complètes*, t. XIII, p. 113.
16 R. Service, *Staline*, op. cit., p. 54.
17 S. S. Montefiore, *Le Jeune Staline*, op. cit., p. 92.
18 Et ce, bien avant son accession au pouvoir. Son succès fut donc dû à son seul talent. À la différence de Mao et d'Hitler, Staline était un artiste plutôt doué...
19 S. S. Montefiore, *Le Jeune Staline*, op. cit., p. 96.
20 R. Service, *Staline*, op. cit., p. 57.
21 La vie du jeune Joseph faisant singulièrement penser au *Demian* d'Hermann Hesse ou à ces personnages de bildungsroman que l'on trouve chez Thomas Mann (*Tonio Kröger)* ou Robert Musil (*Les Désarrois de l'élève Törless*).
22 S. S. Montefiore, *Le Jeune Staline*, op. cit., p. 112.
23 Du russe *stal* (сталь), « acier ».
24 Robert Conquest, *Staline*, Odile Jacob, 1993, p. 125.
25 *Ézéchiel*, 25, verset 17.

Pol Pot : dans les bras
des concubines

L e palais du roi ressemblait à une gigantesque pâtis-
serie de pain d'épice avec ses dorures aux murs de
plâtre jaune crénelés et ses guérites chargées de fioritures.
Les toits coiffés de tuiles vernissées, vertes et orangées,
étaient surmontés, à leurs extrémités, de dragons dres-
sés et tenaient à la fois des temples khmers et des palais
siamois de Bangkok.

Pourtant, malgré ses lignes biscornues, ce vaste
ensemble de bâtiments construits, au début du siècle, par
des architectes français, ne manquait pas de noblesse.

Il se dressait derrière d'impressionnantes grilles de
fer forgé qui ouvraient sur l'allée principale, bordée de
pelouses soigneusement tondues, qui s'étendaient jusqu'à
la rive du fleuve Chao Phraya.

Une telle splendeur était nécessaire au roi du Cambodge
Sisowath Monivong. Certes, dans ces années 1930, il ne
régnait plus que sur un État colonisé, mais l'héritier des
rois d'Angkor continuait à être traité à l'égal d'un dieu
vivant par son peuple. Il n'était plus un souverain absolu,
mais, au sein de son palais, le roi restait le « maître de la

Vie » imposant la nécessité d'un faste imposant et d'un protocole draconien :

« Dans les audiences, les princes, les mandarins et les autres dignitaires se tiennent accroupis sur leurs genoux et leurs coudes, les mains réunies et jointes à hauteur du visage. Le roi, lui, est sur une estrade élevée, sur son trône, assis les jambes croisées comme une idole indienne. Lorsqu'il entre ou qu'il sort de la salle de délibérations, les assistants se prosternent trois fois. Personne ne doit parler au roi, à moins que Sa Majesté lui adresse d'abord la parole... L'usage prescrit de ne jamais contredire le roi, surtout en public[1]. »

Lorsqu'on s'adressait à lui, il fallait employer un vocabulaire bien particulier, et tous ceux qui n'étaient pas de sang royal, jusqu'aux plus éminents ministres, étaient, selon la formule consacrée, ceux « qui portent l'excrément du roi sur leur tête ».

Le jeune Saloth Sâr connaissait l'étiquette royale par cœur. Bien sûr, le gamin qu'il était risquait peu d'être reçu en audience, mais il n'était pas rare de croiser dans la partie du palais qu'il fréquentait une dame appartenant à la plus haute noblesse du pays. Il convenait alors de tomber à genoux et de s'incliner le plus bas possible.

Ce qui arrivait souvent lorsqu'il se rendait au palais pour voir sa sœur Roeung, qui occupait une petite maison de bois et de brique dans l'enceinte du palais réservée aux favorites. Concubine du roi, elle jouissait depuis peu de la faveur du vieux Monivong, qui avait veillé en personne à son installation et à l'ameublement de sa maison.

Il lui avait même offert des bijoux, des fourrures et une voiture. Cependant, c'était peu de choses en comparaison de la reconnaissance dont jouissait sa tante, Khun Meak, elle aussi logée au palais dans une aile réservée aux secondes épouses. Dame Meak[2] avait été éduquée dès son enfance pour être danseuse du Ballet royal. Ces danseuses étaient toutes des *apsaras*, des « danseuses célestes dansant pour réjouir les dieux », et leur corps de ballet appartenait au roi et formait le harem tradition-nel. Dans leur vie quotidienne, les danseuses vivaient au palais royal, et leur but unique était de se faire remarquer par le roi.

Si elles y réussissaient, une vie de prestige et d'indépen-dance financière s'ouvrait à elles. Dans le cas contraire, elles menaient une existence misérable. La tante avait donc été vouée à devenir une des favorites du roi. Elle avait intégré le harem du palais, qui pouvait héberger jusqu'à 200 « danseuses », et était parvenue à s'y faire remarquer par le roi Monivong, qui l'épousa en 1925, la faisant ainsi la troisième de ses épouses officielles.

Saloth Sâr était donc le neveu d'une des reines du Cambodge.

Une situation privilégiée qui lui permettait d'avoir librement accès au palais afin d'y visiter les membres de sa famille.

Comme il n'était âgé que de 14 ans, et donc encore considéré comme un enfant, cette permission s'étendait jusqu'au harem du roi, où on lui faisait un accueil très chaleureux :

« En 1938, Monivong a 60 ans, 24 enfants nés de ses 16 épouses, et presque autant de concubines. Le roi, malgré un enthousiasme certain, commence à donner quelques signes de fatigue et ne parvient plus à contenter tout son monde[3]. »

Dame Meak, qui possédait le titre aristocratique de « Dame responsable des femmes du harem du roi », était précisément chargée de veiller au bien-être de ces jeunes danseuses trop souvent délaissées par un roi âgé et de santé précaire, livrées à elles-mêmes et à des pratiques qui ne pouvaient apporter qu'une satisfaction temporaire.

« Les rares éléments masculins qui sont autorisés dans leur entourage suscitent inévitablement la convoitise. Les eunuques sont régulièrement mis à contribution, de même que les fils de certaines d'entre elles ; les incestes ne sont pas rares[4]. »

En femme avisée et observatrice, dame Meak remarqua chez son jeune neveu certaines dispositions pour le ballet qui ne demandaient qu'à être encouragées. Alors, comme le permettait sa charge, elle s'arrangea pour lancer le jeune Saloth Sâr dans le grand monde des petites vertus. Ainsi fut-il « initié à la sexualité par les mains expertes et empressées des plus belles princesses khmères, dans le scintillement des ors et le bruissement des soieries, échauffé par des souffles furtifs[5] ».

Il venait leur rendre visite dans son uniforme d'écolier, une ample chemise blanche, des pantalons larges et des chaussures à semelles de bois. Les jeunes femmes se rassemblaient autour de lui pour le taquiner. Puis, elles détachaient sa ceinture et s'adonnaient alors à quelques réjouissantes privautés.

Bien évidemment, ces courtisanes confirmées ne perdaient pas les sens au point d'oublier les règles élémentaires de prudence. Il était certains interdits qu'on ne pouvait outrepasser sans risquer d'y perdre la vie. Dès lors, c'était un habile ballet de sensualité et de volupté qui ne s'exécutait que dans des limites bien étroites permettant

de sauvegarder les apparences de chasteté et de pureté.

Saloth Sâr menait donc une existence à faire rêver bien des adolescents, mais qui ne devait en rien satisfaire ses éducateurs. D'ailleurs, le garçon eut le plus grand mal, à cette époque, à obtenir son certificat d'études. Cependant, les visites au harem royal allaient définitivement cesser. Non seulement il devenait trop vieux, à 15 ans, pour y être encore admis, mais on venait de l'inscrire comme boursier à l'internat du collège Norodom Sihanouk, un nouvel établissement dans la province de Kampong Cham.

Adieu les concubines.

L'éloignement de sa famille dut alors lui paraître bien cruel. Ses résultats, loin de s'améliorer, étaient particulièrement mauvais. Les cours y étaient donnés en français. Les élèves étudiaient la littérature, l'histoire, la géographie, les mathématiques, les sciences..., mais en classe, l'adolescent manquait constamment d'attention. Ses meilleurs devoirs étaient notés « passables » par ses maîtres. Dans aucune matière Sâr n'obtenait de récompense. Il préférait de beaucoup passer son temps à jouer au basket-ball ou à rêver peut-être à ses paradis perdus.

Malgré cela, Sâr participa tranquillement à la vie du collège loin des ravages de la Seconde Guerre mondiale. En 1948, il rata le concours d'entrée au plus prestigieux lycée de la capitale, le lycée Sisowath, que plusieurs chefs du gouvernement et dignitaires du royaume avaient fréquenté. Redoutant alors d'avoir à retourner vivre dans son village natal de Prek Sbauv, près de Kompong Thom, à 130 km au nord de Phnom Penh, où ses parents possédaient plusieurs hectares de rizières, le jeune homme s'inscrivit dans une école technique pour y préparer un brevet en menuiserie.

Cette même année, il décrocha par miracle une bourse permettant de continuer des études en France. Il allait y séjourner de nombreuses années, pendant lesquelles il découvrit le communisme et l'action politique.

À son retour au Cambodge en 1953, prenant conscience qu'une autre destinée individuelle était possible, mais surtout qu'une alternative collective devait réveiller son pays et libérer le Cambodge de ses chaînes, le jeune homme rejoignit le Parti révolutionnaire du peuple khmer.

Arrivé au pouvoir avec les Khmers rouges en 1975, Saloth Sâr prit le nom de Pol Pot et il était fermement décidé à faire « table rase du passé ».

Cette décision s'étendit à tout le pays, où les nouveaux dirigeants, prônant l'éradication des artistes et des institutions culturelles, effacèrent tout ce qui était moderne et traditionnel.

La danse fut donc bannie, et la majorité des danseurs furent exécutés. Ainsi, une des premières décisions de celui qui avait été un enfant adorable, « qui n'aurait pas fait de mal à une poule[6] », de cet adolescent de jadis un peu trop choyé par des courtisanes en manque d'amour, fut de faire tuer tout le personnel de la cour, en commençant par les gracieuses danseuses du Ballet royal.

Trois ans plus tard, Pol Pot était « parvenu à tuer de la manière la plus atroce (la famine généralisée, la torture) le quart de la population totale du pays[7] ».

« Qui proteste est un ennemi,
qui s'oppose est un cadavre. »

POL POT

1   Charles Meyer, *Derrière le sourire khmer*, Plon, 1971, p. 112-113.
2   *État présent de la Maison royale du Cambodge*, édition de 1994, p. 106.
3   V. Chalmet, *L'Enfance*, op. cit., p. 19.
4   Id.
5   Id.
6   Philip Short, *Pol Pot : anatomie d'un cauchemar*, Denoël, 2007, p. 45.
7   Collectif, *Le Livre noir du communisme*, Robert Laffont, Paris, 1997, p. 14.

Raphael Trujillo : vie et mort d'un histrion

La Bible raconte comment un jour, une des douze tribus d'Israël, la tribu d'Éphraïm, se retrouva en guerre contre les Galaadites[1], fut défaite et poursuivie pour être massacrée du premier au dernier.

Afin de sauver leur vie et de trouver refuge de l'autre côté du Jourdain, certains fuyards éphraïmites eurent l'idée de se faire passer pour des Galaadites. Cependant, les soldats qui contrôlaient le gué eurent vite fait de découvrir la ruse et eurent l'idée de recourir à un stratagème pour les démasquer : toute personne voulant traverser le fleuve devait dire *schibboleth*, un mot impossible à prononcer de la part d'un étranger.

« Quand un fuyard d'Éphraïm disait : "Laissez-moi passer", les gens de Galaad demandaient : "Es-tu éphraïmite ?" S'il répondait "Non", alors ils lui disaient : "Eh bien, dis *schibboleth* !" Il disait *sibboleth*, car il n'arrivait pas à prononcer ainsi. Alors, on le saisissait et on l'égorgeait près des gués du Jourdain[2]. »

Par la suite, le *schibboleth*[3], mot qui dénotait l'appartenance à un groupe particulier, fut utilisé à de nombreuses reprises afin d'identifier, d'isoler et la plupart du temps de massacrer un étranger perçu alors comme un « ennemi de l'intérieur ».

On doit à Rafael Trujillo, président-dictateur de la République dominicaine, un des usages les plus récents du *schibboleth*. Comme, dans les années 1930, de nombreux Haïtiens avaient quitté leur pays frontalier pour venir travailler en République dominicaine dans les champs de canne à sucre, Trujillo y avait vu une mise en danger de son régime et avait décidé de se débarrasser de tous les migrants.

Cependant, les Haïtiens et les Dominicains étant difficilement différenciables d'après leur seule apparence physique et leur habillement, le dictateur imagina une sordide « opération Persil » :

« Pour un francophone, il est très difficile de prononcer le mot espagnol *perejil* (persil), à plus forte raison avec l'accent haïtien. En 1937, la République hispanophone de Saint-Domingue se lança dans une entreprise xénophobe de "dominicanisation" : tous ceux qui, sur réquisition de la police, ne parvenaient pas à prononcer correctement le mot piège étaient exécutés sur-le-champ. Cette *operación Perijil*, qui se traduisit par le massacre de 15 000 à 20 000 immigrés et Dominicains d'origine haïtienne, illustre assez le caractère et l'humour cynique du dictateur Trujillo, soucieux de « blanchir la race[4]. »

Le massacre des Haïtiens provoqua un scandale international qui obligea Trujillo à négocier une indemnisation avec le gouvernement d'Haïti, mais lui permit également de durcir son régime et de consolider son maintien au pouvoir en prétendant rétablir l'ordre avec un gouvernement basé sur la terreur. Le dégoût de son peuple pour l'anarchie permanente était si profond qu'il eut beau jeu de se maintenir au pouvoir absolu pour de longues années avant de révéler une autorité sans scrupules et une impressionnante cruauté.

Trujillo gouvernait la République dominicaine depuis 1930, se comportait déjà en autocrate absolu et, malgré les quelques voix qui s'élevèrent à l'extérieur, le génocide n'allait pas l'empêcher de régner pendant un peu plus de trente ans.

Une carrière exceptionnelle pour cet ex-condamné pour vol, ancien facteur devenu adjudant-chef de la police privée d'une sucrerie, puis officier dans la *policia national dominicana*. Il y connut une ascension digne de l'armée mexicaine : promu colonel en 1926, puis général l'année suivante et enfin président en 1930, il devint rapidement le maître absolu du pays en s'appuyant totalement sur une armée moderne, bien équipée et entraînée. Vingt-cinq mille hommes dévoués à leur chef :

« Soldat ! Souviens-toi toujours que ta devise est loyauté et adhésion inconditionnelle au généralissime Trujillo[5] ! »

Élu à la présidence en 1930 avec un nombre de voix supérieur à celui du nombre d'électeurs, Trujillo fera à peine moins bien aux élections de 1934, où il n'y eut pas un bulletin contre lui. Résultat qui se renouvela aux élections suivantes de 1938, 1942, 1947, 1952 et 1957.

Trujillo avait trouvé le moyen d'importer à Saint-Domingue un système d'élection digne des notations de notre *École des fans*. À chaque élection, les citoyens lui attribuaient la note maximale, sans doute convaincus qu'ils étaient que, dans le cadre de ce soi-disant exercice démocratique, l'important n'était pas de participer, mais tout simplement de rester en vie.

Naturellement, ces bons résultats étaient grandement facilités par l'existence d'un parti unique, le parti dominicain RLTM, dont la devise (« Rectitude, liberté, travail, moralité ») illustrait assez bien la vie de tout bon citoyen.

La rectitude impliquait de marcher droit, et la liberté était celle de travailler sous peine d'adjonction épenthétique d'un « t » entre le « r » et le « a » de moralité. Tous ses adversaires politiques qui avaient essayé de s'opposer à lui au début de sa présidence furent rapidement expédiés vers un monde meilleur. Afin de prévenir toute velléité d'opposition, il s'inspira des dictatures européennes des années 1930, qu'il admirait, et institua quatre polices secrètes riches de 15 000 indicateurs.

Il s'appliqua ensuite, comme tout bon dictateur et donc comme tout mauvais dirigeant, à développer un véritable culte de la personnalité, comparable à celui qui entourait Staline du temps de sa splendeur.

Partout, des bustes du dictateur furent érigés : 1872 statues à son effigie, de toutes les tailles, en bronze et en pierre, ornaient les places publiques et les bâtiments officiels, et un immense panneau, DIEU ET TRUJILLO, accueillait les voyageurs au port de Saint-Domingue, la capitale du pays, dont le nom fut d'ailleurs changé en « Ciudad Trujillo ».

On pouvait lire un peu partout cette litanie : *Trujillo es mi protector*, et, dans les hôpitaux : « Seul, Trujillo me guérira ! »

On envisagea même de rebaptiser du nom de Bethléem le petit village où il était né, San Cristobal, afin de mieux rendre hommage à ce Jésus des Caraïbes. D'ailleurs, l'Église organisait des baptêmes collectifs, et Trujillo en personne présentait les nouveau-nés au prêtre.

« Histrion au regard glacial, Trujillo adore les costumes d'opérette. Poudré pour se blanchir la peau, parfumé à L'Impériale de Guerlain, il affiche un appétit sexuel aussi démesuré que sa soif de richesses. Chaque semaine, un courtisan rétribué par une commission de 10 % sur les travaux publics lui présente une trentaine de jeunes vierges parmi lesquelles le Borgia tropical fait son choix. Instrument du pouvoir, le sexe lui permet de déshonorer les familles de la bonne société dont certaines vont jusqu'à offrir leurs filles ou leurs épouses pour s'attirer les bonnes grâces du tyran[6]. »

Les familles qui n'exhibaient pas une grande photo du tyran dans leur salle à manger étaient automatiquement suspectes, une suspicion synonyme d'exil ou de mort dans un régime qui incitait fortement les enfants à dénoncer leurs parents si ceux-ci osaient critiquer le *Benefactor*, le « Bienfaiteur ».

En réalité, le « Bienfaiteur du peuple » faisait partie de cette race de « fils de pute », dont Franklin Roosevelt disait, pensif : « Oui, mais c'est *notre* fils de pute[7] ! » Depuis la doctrine de Monroe, les Américains s'estimaient chez eux en Amérique latine et veillaient de près à défendre leurs intérêts économiques.

Trujillo était peut-être un « salaud », mais on pouvait discuter avec lui. Mieux : on pouvait faire des affaires, et de nombreuses sociétés américaines profitèrent de la corruption du président pour s'implanter durablement en République dominicaine et ainsi contrôler les secteurs de l'activité économique du pays que ne possédait pas encore le dictateur.

C'est qu'en trente ans de règne, Trujillo s'était arrangé pour transformer son pays en propriété personnelle. Il s'était approprié tout : tabac, huileries, brasseries, loteries, casinos, manufactures, banques, compagnies d'assurances… Jusqu'au monopole de l'insémination artificielle des vaches.

En fait, le système Trujillo était d'une simplicité redoutable : « Chaque fois qu'une nouvelle industrie se crée, il en prend la majorité ; si elle marche bien, il la garde ; si elle marche mal, il la vend à l'État[8]. »

Il était naturellement propriétaire de tous les journaux, comme de toutes les chaînes de radio et de télé. Et comme le secteur privé ne lui suffisait pas, le dictateur obligea les fonctionnaires à lui reverser 10 % de leur salaire.

À la fin des années 1950, on estima que Trujillo possédait la cinquième fortune mondiale avec plus de 152,3 millions de pesos. Un trésor de guerre acquis par la corruption, le chantage, le vol et toutes sortes d'exactions.

Une telle vie ne pouvait se terminer sans violence.

Les Américains, craignant que la répression à laquelle se livrait le gouvernement de Trujillo ne conduise à une révolution, comme celle qui fut menée contre Batista à Cuba et permit l'instauration d'un régime procommuniste, se décidèrent à lâcher le dictateur et envisagèrent son assassinat par la CIA. Des armes furent livrées sans que l'on ne sût jamais si ce furent elles qui servirent à l'embuscade du 30 mai 1961.

Ce jour-là, le « généralissime », qui venait de rendre visite à sa mère comme chaque soir, monta en voiture, une imposante Chevrolet noire au capot blanc, et s'assit à l'arrière, dans l'angle droit, une mitraillette à portée de main, une autre près du chauffeur. Aussitôt, la Chevrolet fila en direction de l'*Hacienda Fundación*, à San Cristobal, où il passait souvent la nuit. Comme d'habitude, il n'y avait pas d'escorte. Trujillo n'avait pris d'autres précautions que de quitter son habit civil pour revêtir une tenue militaire, avec gilet pare-balles. La voiture, belle cible de crépuscule, se lança sur l'autoroute. Il était 21 h 45. Au croisement de la route dite Sanchez, une voiture noire entreprit de la suivre, puis, plus loin, dans une zone déserte et sombre, à 100 mètres à peine de la limite où cessait l'éclairage public, tira une première rafale de mitraillette. Trujillo était blessé, mais il était trop tard pour s'arrêter. Déjà, la voiture poursuivante doubla à droite et, une fois qu'elle fut à la hauteur de celle du dictateur, de nouvelles salves partirent.

« Stoppe, dit Trujillo, on va se battre[9]. »

Le combat s'engagea. Le chauffeur vida son chargeur. Mais sept nouveaux assaillants arrivèrent brusquement dans une deuxième voiture. Trujillo, arme au poing, fut fauché par une rafale. Mortellement atteint, il s'affala sur le garde-boue avant droit. Touché à la tête, le chauffeur s'écroula à son tour.

Le combat avait duré sept minutes.

On ne retrouva le cadavre du dictateur que quelques heures plus tard, en pleine ville. Le corps, tout mutilé, visage méconnaissable et bas-ventre en bouillie, avait été enfoui dans le coffre de l'une des deux voitures des agresseurs.

La dépouille embaumée d'*El Benefactor* sera transportée clandestinement par son fils à Paris en 1963 pour être inhumée au cimetière du Père-Lachaise, sans acte de décès ni certificat de nationalité. Quant aux enfants de Trujillo, un mois après l'assassinat, ils quittaient à la hâte l'île à bord de leur yacht sur lequel avait été chargé tout l'argent liquide et l'or qu'ils avaient pu trouver dans les banques du pays. Des dizaines de caisses qui allaient être confiées en France à un garde-meuble de Boulogne avant de « trouver asile politique » et refuge en Suisse.

> « *Il n'y a aucun danger à me suivre.* »
> RAFAEL TRUJILLO

1 Livre des Juges, XII, 4-6.
2 Ibid., XII, 5-6.
3 תלובש en hébreu, signifiant à la fois « branche » et « flot », ce qui ne manque pas d'une certaine ironie dans la mesure où une simple branche de persil allait déclencher un flot de sang…
4 Bruno Fuligni, dans *Le Guide suprême : petit dictionnaire des dictateurs*, Ginkgo, 2008, p. 221.
5 Lauro Capdevilla, *La Dictature de Trujillo, République dominicaine, 1930-1961*, L'Harmattan, 1998, p. 34.
6 Jean-Michel Caroit, « L'Assassinat de Rafael Trujillo », dans *Le Monde*, 27 mai 2001.
7 Claude Fell, « Des dictateurs de roman », dans *L'Histoire*, n° 322, juillet-août 2007.
8 A. Conte, *Les Dictateurs*, op. cit., p. 291-292.
9 Ibid., p. 293.

Batista : le fumier de Havane

La Havane déployait tous ses charmes pour aguicher le touriste américain venu s'acoquiner en voisin et faire la fête au rythme de la guaracha ou autre rumba. Les corps se déhanchaient sur les pistes de danse dans une moiteur imbibée de tous les parfums des Caraïbes, auxquels se mêlaient des relents de rhum et de *cerveza*... Une foule bigarrée où se mêlaient Noirs, Blancs et mulâtres déambulait dans les rues.

Quelques couples se trémoussaient sur la chaussée ou s'enlaçaient sur le Malecón, le boulevard du bord de mer, où scintillaient de loin les néons des grands hôtels : le Capri, le Riviera, le Habanas Hilton... La ville vivait dans une véritable frénésie de vie nocturne et de loisirs. Les voitures de luxe parcouraient la capitale. Les cabarets comptaient parmi les meilleurs du monde. Au Tropicana, c'était la fête perpétuelle. Hemingway, lui, avait ses habitudes au **Floridita**, où il descendait daiquiri sur daiquiri ou sirotait, appuyé au comptoir, son cocktail préféré, le Papa Doble : du jus de citron vert, un doigt de marasquin, une double dose de rhum, le tout sur de la glace pilée.

« Au shaker, pas à la cuillère », auraient pu demander d'autres amateurs. Les bars des casinos pouvaient tout aussi bien servir des vodkas-martinis à une clientèle en smoking et robe de soirée venue flamber de véritables fortunes dans les établissements de jeux de la capitale cubaine.

« Quand un visiteur arrivait de n'importe quelle ville nord-américaine, de Floride, de Miami, tout était déjà payé. Une voiture l'attendait à l'aéroport, il n'avait pas à payer sa chambre d'hôtel, tout ce qu'il consommait à l'hôtel avec ses amis était gratuit : les repas, les boissons, les femmes... C'était une sorte de paradis. Un paradis flottant, délirant. Le seul but était de faire passer le client millionnaire par le casino. Il pouvait perdre 100 000, 200 000, 300 000 dollars en deux ou trois heures de jeu[1]. »

Du moins, quand ces Américains en goguette ne dilapidaient pas tous leurs dollars entre les bras des prostituées qui négociaient leurs charmes dans La Rampa, une des rues les plus animées de La Havane, entre l'hôtel Hilton et le quartier du Vedado. Avec ses grandes maisons et ses hôtels particuliers de marbre, c'était alors le haut lieu de la prostitution, qui y était tolérée et même parfois encouragée :

« Ces pratiques permettaient à ces femmes de survivre dans un pays où l'indice d'analphabétisme était élevé, où régnait la malnutrition et où 70 % des femmes qui travaillaient (environ 12 %) le faisaient dans le service domestique[2]. »

En 1958, Cuba comptait plus de 100 000 prostituées, pour la plupart des jeunes femmes pauvres venues de la campagne dans l'espoir de gagner de quoi nourrir leur famille. Les plus belles femmes étaient destinées aux riches touristes américains qui pouvaient les choisir dans de somptueux catalogues avant de passer commande par téléphone.

L'immobilier, les jeux, les machines à sous, la prostitution attiraient le dollar qui, avec la force de sa fascination et son poids économique, pourrissait tout. Spectacles de nus, films porno, drogue, tout ce que les puritains du proche continent s'interdisaient ailleurs leur était offert ici sans le risque de perdre à jamais leur réputation.

Dans les années 1950, à Cuba, un seul principe dominait : « Ce qui arrive à La Havane reste à La Havane. »

Le syndicat du crime était parvenu à délocaliser les activités qu'elle avait expérimentées à Las Vegas en faisant de cette île un véritable bordel flottant. Les gangsters protégeaient tout ce monde, et la police fermait les yeux sur ces trafics, gavée qu'elle était elle aussi par le système. Comme Trujillo, Batista régnait sans partage sur une île de carte postale et avait une singulière tendance à confondre trésor public et cassette privée. Aucune activité économique ne lui échappait[3].

Il touchait à tout et touchait sur tout.

Et cela durait depuis des années.

Dès les années 1920, pendant la prohibition (1919-1933), les mafieux Al Capone, Meyer Lansky et Lucky Luciano avaient décidé d'ouvrir boutique à Cuba afin d'utiliser l'île comme « plate-forme off shore » libre de toute pression policière. Lansky s'était lié avec Batista alors que celui-ci n'était que l'éminence grise de la junte militaire alors au pouvoir, et un accord secret avait été rapidement passé entre les deux hommes.

La mer des Caraïbes devint alors la *Rum Row* (l'« avenue du Rhum »), route des cargaisons illégales d'alcool à destination des États-Unis. Batista manipulait toute une série de dirigeants fantoches pendant que les gangsters Meyer Lansky et Santo Trafficante concentraient des millions de dollars dans les casinos, les hippodromes et les discothèques de La Havane.

Les affaires prospérant à merveille, la pègre envisagea de faire de Cuba une base des opérations en vue d'une véritable multinationale du crime. L'île devint en quelque sorte un laboratoire pour la création d'un pays régi par la mafia. En décembre 1946, une célèbre réunion eut lieu dans les salons du prestigieux hôtel Nacional, une « conférence du crime organisé » réunissant plus de mille participants autour de Lansky et de Lucky Luciano[4], le chef de la mafia new-yorkaise. Frank Sinatra en personne était venu pousser la chansonnette pour assurer la musique d'ambiance.

Cuba, capitale du crime organisé, ce fut chose faite lorsque Batista s'empara définitivement du pouvoir le 10 mars 1952. Le retour aux affaires d'*el Presidente* Fulgencio Batista allait permettre l'essor d'hôtels-casinos et de night-clubs clinquants, faisant de La Havane un paradis pour touristes.

Meyer Lansky fit bâtir l'hôtel-casino Riviera haut de 21 étages, et le complexe ouvrit ses portes en 1956. L'année suivante, Santo Trafficante Jr. ouvrit son hôtel Capri, fonda l'hôtel Comodoro et dirigea le Deauville, pendant que Joe Silesi devenait une personnalité majeure du Hilton.

Des investissements jalousement préservés : quand un chef mafieux new-yorkais essaya de contourner le monopole en ouvrant son propre établissement, un barbier chez qui il se rendait eut un geste maladroit qui trancha malencontreusement d'une oreille à l'autre la gorge du trop ambitieux homme d'affaires.

Ainsi, moyennant environ 10 millions de dollars de pots-de-vin par an, Batista laissait hôtels de luxe, casinos, cabarets, maisons de passe, vie nocturne débridée générer des bénéfices prodigieux.

« Je te laisse ouvrir des hôtels de luxe, des casinos, des bordels, tu me donnes ma part. » C'était en résumé l'accord passé entre Batista et les gangsters américains, Lansky en tête, ravis de pouvoir faire de belles affaires sans être harcelés par le FBI. Les grands chefs de l'organisation criminelle étaient sur le point d'administrer une multinationale légale et intouchable :

« Lansky avait pour objectif de modifier les activités de la mafia nord-américaine, de transformer les mafieux en hommes d'affaires travaillant au sein d'entreprises légales. Il voulait tirer un trait sur la légende des familles mafieuses arrivées d'Italie et sur les premières décennies de la mafia aux États-Unis. La présence de Lansky à La Havane marque le début d'une période de transition[5].

Quant à Batista, il pouvait mesurer tout le chemin parcouru depuis qu'il s'était engagé dans l'armée cubaine en 1921. Il commença à gravir les échelons jusqu'à devenir, en 1928, sergent sténographe à l'état-major.

Comme il était soutenu et conseillé par les services secrets américains[6], sa position lui permit de participer activement au renversement en 1933 du président Machado. En récompense, Fulgencio Batista obtint un poste de colonel dans la nouvelle armée.

Deux ans plus tard, comme il venait de mater sans état d'âme une grève générale déclenchée par les ouvriers de la Compagnie cubaine d'électricité, Batista fut nommé général.

Enfin, en 1940, et avec l'appui des Américains, Batista se fit très démocratiquement élire à la magistrature suprême. Roosevelt s'était trouvé un autre « fils de pute » dévoué aux intérêts des États-Unis. Comme le tout nouveau président avait estimé que son nouveau statut imposait une nouvelle vie, Batista divorça pour épouser en secondes noces Marta Fernandez Miranda.

Dès lors, la *primera dama*, comme bien des premières dames, fit oublier les manières courtisanesques par lesquelles elle était parvenue au président, et à la présidence, pour se consacrer en apparence à des œuvres de charité, ravie qu'elle était d'avoir l'honneur des magazines qui la montraient en train de visiter une maternité ou d'inaugurer un hospice.

On oubliait bien sûr qu'il était facile à la « première dame de la République » de remettre des chèques aux œuvres de bienfaisance pour *les pobres* dans la mesure où la belle Mme Batista touchait la moitié des recettes des machines à sous de La Havane, l'autre moitié étant empochée par son dictateur de mari...

Seulement, en 1944, Batista fut battu aux élections et dut se résigner à une retraite anticipée. Anticipée, mais provisoire. S'ennuyant dans son palais, et peut-être nostalgique de la manne céleste qui tombait des voûtes étoilées des casinos, Batista songea à se représenter à l'élection présidentielle de 1952. Seulement, les sondages s'avérant très défavorables, le candidat préféra renoncer au sort trop hasardeux des urnes pour recourir à une méthode qui avait déjà fait ses preuves :

« Tandis que, dans les rues de la capitale, on célébrait dans la liesse et l'ébriété le carnaval, trois groupes de conjurés se dirigeaient dans la nuit du 9 au 10 mars vers Campo Columbia, le plus grand camp militaire de l'île, la forteresse La Cabana située sur la rive orientale de la baie de La Havane, et le quartier général de la police. Le général Batista, se faisant reconnaître au poste de garde, n'eut aucun mal à rallier la garnison et à emporter l'adhésion de ses soldats. À l'aube du 10, il démettait Prio Socarras de ses fonctions et s'autoproclamait président. Le tour était joué. Une fois de plus, dans la plus pure tradition de l'histoire politique des républiques d'Amérique latine, un pronunciamiento avait réussi[7]. »

Les affaires pouvaient donc reprendre.

Prudent, il entreprit de supprimer les libertés individuelles ainsi que celles de la presse et s'opposa violemment au mouvement syndical. Cependant, l'âge d'or semblait terminé.

En 1953, une première alerte donna à penser que son pouvoir n'était plus aussi sûr. Un groupe de rebelles mené par un certain Fidel Castro avait tenté de prendre d'assaut la caserne de Moncada. Batista avait pu maîtriser la situation en faisant exécuter plusieurs dizaines de ces rebelles et en mettant provisoirement leur chef en prison, mais il était clair que la situation militaire se dégradait.

L'année suivante, en novembre 1954, Batista organisa une parodie électorale qu'il remporta haut la main, mais il apparaissait déjà clairement que son peuple, excédé par la misère et la corruption généralisée, soutenait de plus en plus les révolutionnaires. Surtout qu'en réponse à son affaiblissement, le régime se faisait de plus en plus brutal : 20 000 Cubains payèrent de leur vie leur opposition à Batista.

« La répression était terrible. Le gouvernement militaire posait sa main de fer. Il assassinait et laissait les cadavres dans les rues pour terroriser la population[8]. »

Un coup d'État échoué incita Batista à mettre plusieurs de ses meilleurs chefs militaires sous les verrous, tandis que, dans le sud de l'île, Castro préparait ses troupes à une nouvelle révolution.

Dans ce contexte d'incertitude, Batista perdit ses plus précieux alliés. Washington désira mettre fin à cette dictature devenue incontrôlable, et la CIA apporta discrètement son aide à Fidel Castro[9]. La mafia américaine, quant à elle, préféra se couvrir en armant et en soutenant financièrement la rébellion[10].

Dès lors, la chute de Batista était inéluctable.

En 1959, après des années de lutte armée et de guérilla dans les jungles de l'île, Fidel Castro marchait sur La Havane en libérateur.

Il était temps pour le dictateur de penser à une autre petite île au large du Portugal et de mettre en application le « plan 497 » : la fuite en direction de l'aéroport !

> *« Madère, c'est un peu*
> *mon île de Sainte-Hélène. »*
> FULGENCIO BATISTA

1   Enrique Cirules, dans *Cuba, Batista et la Mafia*, Arte, 2012.
2   Stéphanie Merhriou, *Le Statut de la femme cubaine à l'épreuve d'une société machiste*, thèse de doctorat, 2009, p. 366.
3   Jean-Claude Rolinat, *Hommes à poigne et dictateurs oubliés de l'Amérique exotique*, Pardès, 2006, p. 52-54.
4   Fraîchement libéré de prison pour avoir aidé à préparer le débarquement des Américains en Sicile, pendant la Seconde Guerre mondiale, et avoir assuré le soutien et l'appui efficace de la mafia sicilienne.
5   Enrique Cirules, dans *Cuba, Batista et la Mafia*, Arte, 2012.
6   Il convenait alors de défendre les intérêts américains représentés sur l'île par des multinationales qui régissaient toute l'économie et faisaient de Cuba une sorte de colonie.
7   J.-C. Rolinat, *Hommes à poigne*, op. cit., p. 54.
8   Giraldo Mazola Collazo, dans *Cuba, Batista et la Mafia*, Arte, 2012.
9   Jean-François Revel, *L'Obsession anti-américaine*, Plon, 2002, p. 257.
10 Collectif, *Mafia : les plus grandes organisations criminelles du monde*, H. F. Ullmann, 2011, p. 131.

FIDEL CASTRO :
fidèle à l'infidélité

La fête s'acheva en 1959 avec la prise du pouvoir par Fidel Castro et ses révolutionnaires barbus. Une des premières mesures du nouveau régime fut de fermer les maisons de jeux, les casinos et les tripots en stigmatisant l'influence corruptrice des Américains. La mafia perdit tous ses investissements. Le gouvernement de Batista, le dictateur chassé par Castro, devint le symbole d'une époque de débauche dorénavant révolue.

Une partie de la bourgeoisie cubaine émigra à Miami. Mais avec elle disparut également une bonne partie de la joie de vivre cubaine. Cela importait peu aux révolutionnaires puisque désormais l'île était devenue, selon le discours officiel, « le pays où tu ne trouveras ni jeu, ni prostitution, ni drogue[1] ».

La police cubaine arrêta le gérant du Riviera, Jake Lansky, et celui du casino Tropicano, Giuseppe DiGiorgio, ainsi que plusieurs autres individus accusés de faire partie d'un réseau de trafic de drogue. Trafficante fut aussi interpellé, accusé lui aussi de trafic de stupéfiants. Finalement, les escrocs détenus furent tous contraints de quitter l'île.

Un sort que les Cubains allaient bientôt envier.

Sans le savoir, ils étaient tombés de Charybde en Sylla et n'avaient fait qu'échanger une dictature contre une autre.

« Dès les années soixante, les Cubains ont "voté avec leurs rames". Les premiers à quitter Cuba massivement, dès 1961, furent les pêcheurs. [...] Ce phénomène, présent dès l'origine, a été ininterrompu jusqu'au milieu des années soixante-dix. [...] En trente ans, près de 100 000 Cubains ont tenté l'évasion par mer[2]. »

Un tiers de ceux-ci trouvèrent la mort dans leur fuite.

Mais au moment où les révolutionnaires triomphent, l'heure est à la fête. Les nouveaux maîtres de l'île s'étaient installés avec leurs bottes et leurs mitraillettes dans les suites de l'hôtel Havana Hilton, vite rebaptisé Habana Libre, d'où l'on pouvait jouir d'une vue extraordinaire sur toute la ville. Durant la guérilla, beaucoup de femmes les avaient accompagnés dans la Sierra Maestra pour combattre, mais aussi pour aider à réaliser de nombreuses autres tâches. On leur trouva rapidement d'autres attributions qu'imposait le repos bien mérité des guerriers.

Étant lui-même un homme divorcé, Fidel Castro ne rechignait pas à accueillir favorablement les hommages dévoués de ces anciennes combattantes.

Cependant, chez lui, l'amour et le désir ne parvenaient jamais très longtemps à éteindre sa méfiance et son mépris pour *el sexo débil*. Après tout, son ex-femme, Mirta Díaz, qu'il avait connue jeune étudiante en philosophie, n'avait-elle pas essayé de kidnapper son fils ? Un acte incompréhensible de lèse-révolutionnaire. Et tout ça sous le simple prétexte qu'il avait lui-même enlevé son enfant à sa mère avant de l'abandonner sans argent dans un appartement vide de La Havane, condamnée à mendier de l'argent à ses amis pour se nourrir.

Cependant, « l'homme de la pampa, parfois rude, reste toujours courtois ». Le révolutionnaire sorti de sa jungle pouvait aussi se montrer un grand romantique.

D'ailleurs, alors qu'il était emprisonné dans les geôles de Batista, sa grande occupation fut la lecture de romans français. Fidel Castro lecteur de Balzac, d'Anatole France et de Victor Hugo ne laisse pas d'étonner un peu, et l'on pourrait avoir quelque mal à imaginer le rude guérilléro frémissant devant les malheurs de Lucien de Rubempré, pleurant peut-être comme le fit Oscar Wilde lors du plus grand drame de sa vie, la mort du héros balzacien…

À moins qu'il ne fût plus attiré par la belle bohémienne de *Notre-Dame de Paris*.

À l'hôtel Nacional, Fidel Castro avait converti deux suites capitalistes en bureaux de campagnes bolcheviques. Son frère Raúl et Ernesto, « le Che », s'étaient repliés également dans ce kolkhoze de luxe.

Un kolkhoze où se bousculaient presque les maîtresses au rythme des liaisons qui se nouaient et dénouaient selon les fantaisies du nouveau maître des lieux. Idolâtré par des admiratrices déchaînées, il enchaînait les relations sans jamais s'enchaîner à autre chose qu'une fugitive passion amoureuse.

À l'exception peut-être de Marita Lorenz.

Cette jeune fille de 19 ans était arrivée à Cuba à bord du *MS Berlin*, un navire de croisière dont son père était le capitaine. Elle y rencontra Fidel Castro qui venait juste de conquérir La Havane et, succombant elle aussi, elle avait entrepris de le conquérir à son tour :

« Je l'entraînai entre les canots de sauvetage, sous prétexte de contempler le magnifique alignement des bâtiments de La Havane […]. Nous nous enlaçâmes, il prit mon visage entre ses mains, puis me dit : "*Te quiero, mi cielo*[3]." »

Une histoire d'amour commença donc entre la belle étrangère et son « petit Cubain barbu ». Hélas, la jeune Marita doit obéir à ses parents et retourner aux États-Unis. Qu'à cela ne tienne, Castro envoya un avion à New York pour lui permettre de le retrouver dans la suite présidentielle du Hilton de La Havane.

L'idylle se prolongeait.

Tout aurait été au mieux pour la jeune Marita sans l'arrivée soudaine d'une concurrente de taille : Ava Gardner.

L'actrice était censée se remettre d'une chute de cheval. Une bonne excuse pour déserter un temps les studios oppressants de la MGM et prendre un congé bien mérité sous le soleil de La Havane. Surtout que, comme tout le monde en cet été 1959, Ava était fascinée par les histoires et les images du libérateur barbu et charismatique de Cuba. Et l'actrice n'était pas précisément du genre à s'en tenir aux mises en garde qu'on venait de lui faire. « Personne ne va me dire comment vivre ma vie, ni la presse ni les studios[4]. »

L'actrice loua donc une petite suite au premier étage de l'hôtel Nacional, avec vue sur la mer et sur le Malecón, une grande promenade située en front de mer, puis elle entreprit quelques démarches pour être présentée au *commandante*.

Une rencontre fut organisée au Hilton.

Apparemment, le révolutionnaire exprimait un intérêt identique pour la star de cinéma, même si elle incarnait un peu de cet ennemi américain : « Au Nacional, les préjugés idéologiques se dissolvent dans les daiquiris glacés[5]. »

Ce fut donc avec une démonstration extravagante de galanterie latine qu'il accueillit l'actrice. Comme l'aurait fait un simple représentant de l'Office du tourisme, Castro organisa une visite de La Havane. La ville montrait encore quelques signes des troubles récents : boutiques détruites, affaires abandonnées, patrouilles de *barbados* en kaki armés de fusils, mais les touristes bronzés étaient déjà de retour, prêts à s'étourdir de rumba et de rhum.

Après cela, Castro lui fit visiter son quartier général, situé dans l'hôtel Hilton.

Le balcon de la suite dominait la ville. Le couple s'y installa pour boire plusieurs *Cuba libre* pendant que Castro lui racontait la révolution et lui expliquait sa vision de l'avenir. Ava Gardner l'écoutait, mais sans doute s'intéressait-elle déjà moins au discours politique qu'à l'allure virile du *commandante*. Ce barbu de près de deux mètres, vêtu d'un uniforme et portant encore ses bottes de combat, ne manquait pas d'un certain charme et dégageait un magnétisme brute, presque animal, comme elle le répétera à l'envi à son retour aux États-Unis :

« Quand elle est revenue de Cuba [...], elle ne tarissait pas d'éloges sur Castro. Il l'avait fortement impressionnée. Elle disait qu'il avait beaucoup de bonnes idées[6]. »

Beaucoup d'idées peut-être, mais certainement bien plus encore, car, après cette première entrevue, Ava Gardner se mit à fréquenter avec assiduité la suite présidentielle, harcelant le révolutionnaire de « nombreuses lettres échevelées qui faisaient mention de "petits barbus", de "grosses pastèques" ou autres histoires de "cigare à moustaches[7]" ».

Mais, au bout de quelques semaines, les messages s'espacèrent et les lettres restèrent sans réponses.

La comédienne « dévoreuse d'hommes » faisait décidément trop de tapage dans les halls d'hôtel et les palais officiels, et il convenait d'inciter le nouveau président à plus de prudence, de discrétion, et donc de distance.

« Le service de renseignement cubain, le "G2", dirigé par Ramiro Valdés, a conseillé au *commandante* de prendre ses distances avec la brune volcanique venue d'Hollywood[8]. »

Mais le service de renseignement ne fut évidemment pas le seul à œuvrer à l'éloignement de l'indésirable. Marita Lorenz, la maîtresse en titre, ne pouvait plus supporter cette « femme d'un certain âge[9] » qui s'était entichée de son Fidel, et elle avait entrepris de subtiliser tous les messages d'Ava Gardner qu'elle pouvait intercepter.

La tension entre les deux rivales ne pouvait que grandir jusqu'à ce jour où elles finirent par se faire face dans le hall du Hilton, ce qui donna lieu à une terrible scène.

« Ava a tellement bu qu'elle a du mal à tenir debout, racontera Marita. Ava la traite de "petite garce" pour avoir éloigné Fidel, la suit dans l'ascenseur et, toujours selon Marita, la gifle à la volée. Un des gardes du corps de Castro, le capitaine Pupo, qui se trouve dans l'ascenseur, doit sortir son revolver de son étui et ordonner à tout le monde de se calmer[10]. »

Le soir même, Fidel rassurait sa maîtresse. Il venait de missionner un aide de camp auprès d'Ava Gardner. Celui-ci, choisi pour certaines qualités viriles, avait été chargé de combler tous ses désirs « avec les compliments de Cuba ».

Après quoi, l'actrice fut fortement conviée à quitter au plus vite La Havane. Décidément, comme aurait dit Humphrey Bogart, « la vie se comporte souvent comme si elle avait vu trop de mauvais films ».

Mais l'essentiel était que Marita Lorenz se trouvait rassurée. Elle allait désormais pouvoir s'attacher seule à satisfaire le vigoureux révolutionnaire : « Fidel Castro était un grand amant, nous faisions l'amour deux ou trois fois par jour[11]. »

Preuve qu'on pouvait être un grand amant, mais un homme misérable.

Se détachant peu à peu des bras de Marita Lorenz, Castro allait à nouveau se consacrer pleinement à la politique, ne tardant pas à tomber dans les mêmes excès, les mêmes errements qu'il avait jadis combattus chez Trujillo et Batista. Son régime se transforma à son tour en véritable dictature.

Le pouvoir serait-il iconoclaste ?

Il détruisit peu à peu tous les idéaux qui avaient eu autrefois de la valeur aux yeux de celui qui avait mis tant d'ardeur et de conviction à le conquérir : « Depuis 1959, plus de 100 000 Cubains ont connu les camps, les prisons ou les fronts ouverts. De 15 000 à 17 000 personnes ont été fusillées[12]… »

Malgré cela, Fidel Castro ne connut pas le sort de ces dictateurs sauvagement assassinés ou brutalement chassés du pouvoir. Il resta à la tête du pays pendant près de 50 ans, ne cédant sa place, contraint et forcé par la maladie, qu'à son frère Raúl. Cuba faisait encore partie des dix pays

respectant le moins la liberté de la presse et emprison-
nant le plus volontiers les journalistes[13]. En 1998, Castro
avait obtenu le très sarcastique prix Kadhafi des droits de
l'homme. Du dictateur libyen, il avait partagé le goût pour
l'oppression sans en connaître sa logique conclusion…

« Parfois, j'ai l'impression
de faire l'amour avec la révolution. »
FIDEL CASTRO

1 Fidel Castro, Interview pour la NBC du 24 février 1988, dans Sami Tchak, *La Prostitution à Cuba : communisme, ruse et débrouilles*, L'Harmattan, 1999, p. 14.

2 Collectif, *Le livre noir*, op. cit., p. 724-725.

3 Diane Ducret, *Femmes de dictateurs 2*, Pocket, 2013, p. 79.

4 Bertrand Meyer-Stabley, *La Véritable Ava Gardner*, Pygmalion, 2009, p. 165.

5 Elizabeth Gouslan, *Ava, la femme qui aimait les hommes*, Robert Laffont, 2012.

6 Lee Server, *Ava Gardner*, Presses de la Cité, 2006, p. 425.

7 Matthias Debureaux, *Les dictateurs font très bien l'amour*, Pocket, 2013, p. 57.

8 Serge Raffy, *Castro, l'infidèle*, Fayard, 2003.

9 L. Server, *Ava Gardner*, op. cit., p. 425.

10 Id.

11 M. Debureaux, *Les dictateurs font très bien l'amour*, op. cit., p. 210.

12 Collectif, *Le Livre noir*, op. cit., p. 725.

13 Classement mondial 2013 de Reporters sans frontières et consultable sur leur site (http://fr.rsf.org/). Les plus liberticides étant : l'Érythrée, la Corée du Nord, le Turkménistan, la Syrie, la Somalie, l'Iran, la Chine, le Vietnam, Cuba et le Soudan.

Papa Doc, la tyranie du docteur vaudou

Il existe dans le monde un certain nombre de théocraties au gouvernement plus ou moins heureux. On pense naturellement au Bhoutan, au Vatican ou à l'Iran, mais au-delà du bouddhisme, du christianisme ou de l'islam, il est une religion à laquelle on ne pense pas naturellement : le vaudou. Pourtant, même si cela semble difficile à concevoir, le vaudou fut bel et bien une religion d'État.

Il le fut en Haïti, sous la dictature des Duvalier père et fils : Papa Doc et Bébé Doc. Le père devint président d'Haïti en 1957, puis président à vie de 1964 jusqu'à sa mort en 1971, date à laquelle son fils Jean-Claude reprit le flambeau jusqu'à son éviction en 1986. Cependant, si les surnoms semblent affectueux, il ne faut pas se laisser abuser par leur apparente bonhomie.

François Duvalier, jeune homme pauvre et d'humble origine, né en 1906 dans la banlieue de Port-au-Prince, était un petit homme timide et myope. Après des études classiques au lycée, il intégra, en 1928, l'École de médecine de Port-au-Prince. Pendant sa médecine, il fit la connaissance de Simone Ovide, une infirmière solidement charpentée, à « la tête de paysanne plantée sur un cou comme un tronc de baobab[1] », dont il tomba immédiatement amoureux. « Maman Simone » deviendra sa femme en 1939 et sera la mère du futur Bébé Doc.

Devenu médecin, le jeune Duvalier travailla quelque temps pour la mission sanitaire américaine qui s'efforçait de combattre la malaria. Médecin des pauvres, il fut alors confronté à une profonde misère et en garda un sentiment de grande injustice contre les disparités sociales, ainsi qu'une haine contre le monde riche et mulâtre qui l'ignorait et profitait sans vergogne du système. Plus tard, il ne lui restera de cette période qu'un amer souvenir retranscrit dans un poème[2], « Les Sanglots d'un exilé », au son à la fois poignant et sinistre :

Mais le noir de ma peau d'ébène se confondit
Avec les ombres de la nuit...
Quand, cette nuit-là, hideux comme un fou,
J'ai abandonné ma chambre froide d'étudiant [...]
J'étais-moi-pauvre petit nègre exilé dans mon Propre
Pays.
Tête nue
Sans veste
Les intestins vides
Sur le macadam plein d'ombres de Port-au-Prince,
Et j'ai marché longtemps devant moi [...]
J'ai frappé en vain à toutes les portes
Mais le noir de ma peau d'ébène se confondit
Avec les ombres de la nuit
Et l'on ne me vit même pas[3].

Peu à peu, son dévouement pour les plus défavorisés lui valut une grande popularité et le surnom de « Papa Doc ». Une popularité qui lui permit d'occuper des fonctions de plus en plus importantes, du poste de ministre de la Santé publique en 1946 jusqu'à la présidence en 1957. Il venait d'y être hissé à la première place par les militaires qui le considéraient comme un fantoche facile à manipuler.

Ils allaient vite déchanter.

Son apparence effacée, banale, avec sur le visage « cette expression triste et affable des myopes » pouvait tromper, tout comme son visage arrondi et mou, sa voix onctueuse, lente et sourde, et une apparente nonchalance qui le faisait surnommer par ses intimes « Traîne-savates ».

Mais ce timide avait en lui le fanatisme des opprimés, et ses grosses lunettes rondes aux verres en cul-de-bouteille cachaient un regard glacial d'une fixité de poignard qui trahissait l'intensité de ses frustrations.

Contrairement aux attentes des militaires, le petit médecin effacé, craintif et sans grande personnalité, qu'ils pensaient pouvoir aisément manœuvrer, se révéla rapidement un homme d'une poigne telle qu'il eut tôt fait de soumettre Haïti à un régime particulièrement répressif.

La « papadocratie » venait de naître. Tout comme le « duvaliérisme », dont la devise était : « Ne discutez jamais de rien avec personne. »

Autrement dit, « Captivité, inégalité, hostilité ». Ce populisme fanatique et incompétent s'appuya très tôt sur un régime autoritaire, instaurant la terreur dans tout le pays[4], et tenant des discours aux accents sinistrement hitlériens :

« Un seul peuple ! Une seule Patrie ! Un seul chef[5] ! »

Et, pour protéger ce chef, trois armes : les tontons macoutes, le noirisme et le vaudou.

Sachant le pays particulièrement instable, 24 chefs d'État sur 36 renversés ou assassinés depuis 1804[6], et comprenant rapidement que son maintien à la présidence impliquait la limitation des prérogatives de l'armée, Duvalier prit soin de s'appuyer sur un corps spécial, les « Volontaires de la sécurité nationale », une « force de dissuasion » contre tous les opposants réels et imaginaires à la dictature, milice paramilitaire rapidement plus connue sous le nom de « tontons macoutes[7] ».

Ceux-ci étaient revêtus d'un uniforme en bleu de chauffe (coupe cow-boy dans les campagnes, style policier new-yorkais dans les villes), avec l'écusson frappé de la pintade (totem de François Duvalier) et arboraient volontiers d'énormes lunettes de soleil, une machette aux côtés et une pétoire à la ceinture.

Détail piquant, leur chef incontesté nommé « Oncle suprême » était en réalité une tante, Mme Max Adolphe[8]. Et cette femme était assurément un personnage aussi curieux et intrigant que Papa Doc.

Mais peut-être encore plus cruel et sanguinaire.

Rosalie Bouquet de son nom de jeune fille, plus connue sous le sobriquet d'Adolphine, passait pour être la fille d'un député français ayant fait ses études dans les lycées parisiens avant d'être bibliothécaire à la Sorbonne.

Une histoire qui pouvait tout aussi bien être imaginaire, car on affirma par la suite que « la Sorbonne » était en réalité une maison close de Port-au-Prince dans laquelle la belle Rosalie faisait commerce de ses charmes.

Cependant, une fois devenue l'épouse du ministre de la Santé Max Adolphe, la belle Rosalie renoua avec ses racines à l'occasion de nombreux séjours parisiens, au cours desquels elle prenait plaisir à rendre hommage au patrimoine français en allant s'habiller chez les grands couturiers, se parfumant chez Pierre Cardin avant d'aller musarder du côté de la place Vendôme.

Un raffinement qui lui permettait de ne pas passer inaperçue à Port-au-Prince, même si elle cachait alors ses yeux derrière des lunettes noires et troquait ses élégantes tenues et son sac à main[9] pour un seyant treillis militaire et une mitraillette, plus adaptés aux expéditions punitives.

Expéditions au cours desquelles on arrêtait, torturait et fusillait pour un rien. Loin d'être une force de police, ces hommes vivaient de l'extorsion et de la terreur qu'ils savaient insuffler par le meurtre, les viols et la torture.

Ils commirent, sous la seule présidence de Papa Doc, plus de 30 000 assassinats. La sinistre « Mme Max Adolphe », qui supervisait et encourageait ces meurtres de masse, n'hésitait naturellement jamais à payer de sa personne pour mieux terroriser le peuple[10] et dissuader toute opposition au bon Papa Doc.

Par ailleurs, partisan de la lutte des classes, Duvalier se positionna aussi comme « chef des Noirs » dans ce qu'il considérait comme une « lutte des races ». Pour cela, et pour justifier une politique raciste, il exacerba l'opposition entre les Noirs et les mulâtres et développa sa théorie du « noirisme haïtien ».

Dès lors, les mulâtres issus du métissage entre les Européens et les Africains furent opprimés par le pouvoir qui ne pouvait désormais appartenir qu'aux Noirs. Il ne faudrait cependant pas voir en Duvalier un ardent défenseur des opprimés, désireux de valoriser une langue et une culture.

Bien au contraire, le dictateur ne chercha qu'à consolider son pouvoir en s'appuyant sur une majorité noire très hostile à l'ancienne élite mulâtre. Il était prêt à détourner le concept de négritude pour instituer un nouvel esclavagisme et « remplacer le fouet blanc par le fouet noir[11] ».

Dans son ouvrage *Négritude et négrologues*[12], le sociologue dahoméen Stanislas Spevo Adotevi définissait la négritude comme « la manière noire d'être blanc » ; celle de Duvalier n'était plus la simple reconnaissance du fait d'être noir définie par Aimé Césaire, ni celle de Léopold Sédar Senghor, cette « nuit qui me délivre […] des haines calculées des carnages humanisés[13] », mais celle d'un tigre qui proclame sa tigritude pour bondir sur sa proie et la dévorer[14]. En août, septembre et octobre 1964, des centaines de mulâtres, femmes, vieillards et enfants furent torturés, puis abattus au cours de massacres connus sous le nom de « Vêpres jérémiennes ».

Enfin, comme bien des dictateurs, Duvalier s'attacha à organiser à son profit un véritable culte de la personnalité, instituant une série de mesures destinées à renforcer son prestige, comme cette étonnante prière que les élèves haïtiens devaient réciter tous les jours avant de commencer les cours :

Notre Doc qui êtes au Palais national pour la vie,
que votre nom soit béni par
les générations présentes et futures,
que votre volonté soit faite
à Port-au-Prince et en province.
Donnez-nous aujourd'hui notre nouvel Haïti,
ne pardonnez jamais les offenses des apatrides
qui bavent chaque jour sur notre Patrie,
laissez-les succomber à la tentation et sous
le poids de leurs baves malfaisantes,
ne les délivrez d'aucun mal.
Amen[15].

Puis, le dictateur décida d'introduire une petite touche d'originalité au culte qui lui était rendu : le chef temporel allait se faire également leader spirituel. Après avoir mis sous sa coupe l'Église catholique, dont l'influence était « pernicieuse dans toutes les sphères de l'activité nationale[16] », Papa Doc imagina qu'il ne serait pas maladroit de cumuler en sa personne pouvoir politique et pouvoir religieux.

Comme ses années passées en tant que médecin itinérant lui avaient permis de connaître les ressorts profonds de l'âme de son peuple, il avait très tôt saisi la force du culte vaudou dans la vie sociale des communautés rurales.

Profondément ancré dans l'âme haïtienne, le vaudou[17] trouvait son origine dans l'ancien royaume du Dahomey, en Afrique de l'Ouest, avant d'arriver en Amérique et dans les Caraïbes à l'époque de l'esclavage noir africain pendant lequel il s'était développé dans la clandestinité.

Tout étant bon pour assujettir les Haïtiens et les maintenir dans la crédulité et l'arriération, Duvalier eut donc l'idée d'une utilisation machiavélique du culte vaudou.

Il prétendit être un *hougan*, une sorte de grand maître choisi par les esprits, appelé à commander des troupeaux de zombis, et utilisa les frayeurs populaires que le vaudou pouvait inspirer pour accroître son emprise sur le peuple. En prétendant être lui-même un *hougan*, il obligeait les Haïtiens à se concilier sa bienveillance afin de ne pas offenser la puissance des dieux et des forces invisibles dont il prétendait avoir le contrôle.

Ainsi, il modela délibérément son image sur celle du Baron Samedi[18]. Cet esprit des morts (*Iwa*) était traditionnellement représenté vêtu d'un chapeau haut de forme blanc, d'un costume de soirée et de lunettes de soleil.

Pour rendre plus convaincant son rôle de composition, Duvalier alla jusqu'à parler avec ce fort ton nasal associé au baron qui était souvent représenté avec du coton dans les narines[19].

Très habile dans la pratique de la sorcellerie sur des poupées à épingles, il aurait gardé dans son placard la tête d'un ancien adversaire, le capitaine Blucher Philogenes, qui avait essayé de le renverser en 1963 et qui servait désormais à des rituels vaudou destinés à assurer un règne durable au président. D'ailleurs, Papa Doc se vanta d'avoir été à l'origine de l'assassinat de John Fitzgerald Kennedy grâce à un puissant envoûtement. On n'a pas connaissance d'une enquête de la CIA concernant l'éventuelle possession d'une poupée vaudou par Lee Harvey Oswald, mais cette déclaration ne manqua pas de produire un certain effet sur une population fanatisée et volontairement maintenue dans l'obscurantisme.

Lorsqu'il mourut en 1971, son pays, miné par la corruption et souffrant de son isolement économique et commercial, était un des plus pauvres de l'hémisphère. Le taux d'analphabètes culminait à 90 %[20] et des centaines de milliers d'Haïtiens avaient été poussés à l'exil. Malgré cela, François Duvalier avait réussi à imposer son fils Jean-Claude, alias Bébé Doc, qui lui succéda le lendemain de sa mort et qui ne sera renversé que 15 ans plus tard par une insurrection populaire pour fuir en France, patrie des droits de l'homme et des dictateurs à la retraite.

« *Je suis dictateur parce que, dans ce foutu pays,
je n'ai pas moyen d'être autre chose.* »

PAPA DOC

1   Catherine Ève Roupert, *Histoire d'Haïti : la première république noire du Nouveau Monde*, Perrin, 2011, p. 224.

2   Encore un dictateur poète !

3   Jacques Barros, *Haïti de 1804 à nos jours*, t. II, L'Harmattan, 1984.

4   Sophie Chautard, *Les Dictateurs du XXᵉ siècle*, Studyrama, 2006, p. 203.

5   François Duvalier, *Mémoires d'un leader du tiers-monde,* Paris, Hachette, 1969.

6   P. Varejka, dans *Le Guide suprême*, op. cit., p. 50.

7   « Bonshommes bâton » en créole.

8   Stéphanie Melyon-Reinette, *Haïtiens à New York City : entre Amérique noire et Amérique multiculturelle*, L'Harmattan, 2009, p. 16.

9   Qui contenait les indispensables accessoires féminins, mais aussi un petit colt à crosse nacrée dont elle ne se séparait jamais.

10 Se livrant en toute impunité à de nombreux actes de torture, elle aurait été jusqu'à insérer un rat vivant dans le vagin d'une femme enceinte.

11 Jacqueline Lamartinière, *Le Noirisme : essai sur la négritude et son utilisation dans le contexte haïtien*, Mouvement haïtien de libération, 1976, p. 29.

12 Stanislas Spevo Adotevi, *Négritude et négrologues*, Le Castor Astral, 1998.

13 Léopold Sédar Senghor, *Chants d'ombre*, Seuil, 1945, p. 50.

14 D'après l'écrivain nigérian Wole Soyinka, premier Africain Prix Nobel de littérature.

15 P. Varejka, dans *Le Guide suprême*, op. cit, p. 50.

16 Jean Florival, *Duvalier : la face cachée de Papa Doc*, Mémoire d'encrier, 2007, p. 81.

17 Aujourd'hui, le vaudou réunirait 50 millions d'adeptes dans le monde, dont aux États-Unis (Louisiane, Floride) et au Brésil...

18 Dans l'un des *James Bond* (*Live and Let Die*, 1973) on observe, très stylisé pour le cinéma, un Baron Samedi incarné par l'acteur trinidadien Geoffrey Holder.

19 Allusion sans doute à la préparation des défunts dans la Caraïbe.

20 Ibrahim Tabet, *Les Grandes Dictatures de l'histoire*, De Vecchi, 2006, p. 32.

BOKASSA :
sacre et massacres

En ce 4 décembre 1977, Bangui la poussiéreuse s'était mise sur son trente-et-un. Cela faisait des mois qu'on se préparait à cette journée qui devait permettre à Centrafrique de rayonner d'un éclat incomparable sur le monde entier.

C'était du moins ce qu'avait prévu Jean-Bédel Bokassa, qui avait décidé ce jour-là de se faire couronner empereur. Pour la cérémonie, il avait imaginé quelque chose de tout à fait intime : 3500 invités en provenance de 43 pays.

Pour cela, des invitations avaient été envoyées dans le monde entier, plus précisément dans 44 pays d'Afrique, 28 pays d'Europe, 14 pays du Moyen-Orient, 15 pays d'Asie et d'Extrême-Orient. Au total, 101 pays avaient reçu une invitation.

Cependant, petite déception, le pape, ni aucun empereur, roi ou président n'avaient daigné faire le déplacement. Le seul chef de gouvernement présent était celui de l'île Maurice. Quant à la France, elle avait tout de même envoyé son ministre de la Coopération.

Bien que dans les hautes sphères du pouvoir on eût déjà émis de sérieux doutes sur la façon assez peu démocratique dont Bokassa gérait son pays, les ressources naturelles de Centrafrique incitaient à une certaine souplesse diplomatique et à une hauteur de vue qui ne permettaient guère de discerner ce qu'il convenait de ne pas voir.

Ce fut pourquoi la France se fit un plaisir de satisfaire à toutes les demandes qui lui furent faites : aide financière et technique, conseil protocolaire, encadrement équestre, production de décors et de costumes, transport aérien... Le couronnement de l'empereur de Centrafrique put alors être organisé comme une superproduction hollywoodienne, à ceci près que tout était organisé et financé par la France.

Ainsi, lorsque le cortège quitta le « palais de la Renaissance » pour rejoindre le « palais du Couronnement », en réalité la salle omnisports de Bangui, tout avait été minutieusement préparé afin de faire de cet acte politique hautement symbolique une cérémonie à la hauteur du sacre de Napoléon à Notre-Dame, le 2 décembre 1804.

Le carrosse, acheté en France et décoré de l'aigle impérial encadré du « B » impérial de Bokassa, avait été acheminé en avion spécial. Il était escorté par plusieurs dizaines d'apprentis cavaliers déguisés en hussards de la garde impériale, habillés de vert, coiffés de plumets blancs et accompagnés, pour plus de sécurité, par des conseillers équestres français. Pour équiper les officiers du sacre, l'état-major de l'armée de terre française avait prêté 350 sabres de cérémonie et 275 de modèle napoléonien de l'an 1822. Les uniformes et les chevaux étaient également prêtés par la France. Ces nobles animaux, qui venaient des haras du Pin en Normandie, avaient été transportés en Afrique à bord d'un Transall, mais éprouvèrent très vite de grandes difficultés à supporter la chaleur africaine, une température de 40 degrés agrémentée d'un taux d'humidité à 90 %. Un des chevaux s'en trouva mal et s'effondra sur le parcours, faisant perdre un temps précieux au cortège. Le couple impérial allait mettre bien plus de temps à parcourir les quatre kilomètres séparant les deux palais que les invités privilégiés pour qui on avait fait venir, par bateau du Cameroun, puis par avion jusqu'à Bangui, 60 Mercedes dernier modèle, toutes équipés de la climatisation.

Enfin, à 10 heures du matin, le carrosse arriva devant la salle du couronnement.

Une centaine de journalistes purent alors apprécier la noble élégance de l'empereur, qui avait su privilégier la simplicité de la mise et la discrétion d'une vêture faite d'une « aube brodée de perles blanches et de perles d'or. Dans le bas de l'aube est brodé un aigle dans le soleil, le tour de l'aube est rebrodé de feuilles de laurier et d'étoiles. Ceinture aux couleurs de l'Empire centrafricain, rebrodée de perles. Manteau de velours rouge rebrodé d'ailes dans le soleil, d'étoiles et de feuilles de laurier en Cornely, bordé d'une bande d'hermine, parsemé de queues du même animal. Chaussures rebrodées comme la robe avec l'initiale B rebrodée d'or. Gants rebrodés de perles[1] »…

Bokassa pénétra ensuite dans son palais et se dirigea d'un pas lent, qui se voulait majestueux, vers l'imposant siège impérial, un aigle géant tout cuivre en plaqué or, sculpture d'Olivier Brice, artiste français qui avait égalementment œuvré aux arcs de triomphe admirablement kitsch, dont on avait parsemé la capitale et qui devaient témoigner de l'admiration du peuple pour son empereur.

Ou l'amour de l'artiste pour son commanditaire :

« Entre l'empereur et moi, ce fut tout de suite le coup de foudre. Même si son personnage est contesté, moi je le défends à tous égards[2]. »

Comme il était satisfait, Bokassa fit une légère pause pour goûter la solennité du moment. À moins que ce ne fût pour libérer sa tête des lauriers d'or qu'il avait oublié d'enlever et sur lesquels on ne pouvait décemment pas poser la couronne impériale.

En dehors de ce léger incident, tout était parfait.

Sa femme Catherine, qui incarnait le rôle d'une nouvelle Joséphine, était superbe, et le futur empereur ne put s'empêcher d'admirer toute l'élégance de sa tenue en lamé or de chez Lanvin[3], rehaussée de 935 000 sequins et brodée de rubis, et de sa longue traîne portée par ses dames d'honneur toutes revêtues de robes fuchsia et rose de pur style *Autant en emporte le vent*[4]. Les joyaux qu'elle portait également, avec autant de grâce que de naturel, la rendaient littéralement resplendissante. Pour cela, elle avait pu compter sur l'aimable complicité d'Arthus Bertrand, célèbre joaillier parisien, qui avait veillé à l'éclat très particulier de ses parures. Des petites choses qui suffisaient par leur simplicité à rehausser sa beauté. Le diadème de Catherine, qui imitait d'une façon charmante la couronne de laurier des césars, était en or massif et comprenait un diamant d'une pureté inégalée et d'un poids de 38 carats. Ce qui était peu de chose en comparaison des 138 carats de son mari, qu'il n'allait pas tarder à troquer contre une couronne de… 7000 carats.

Mais, c'était bien connu, l'amour ne pouvait être un sentiment comptable.

Et encore moins coupable.

Les 8 millions que les bijoux avaient coûtés étaient une bagatelle aux yeux de Bokassa qui en avait dépensé 15 autres pour le reste de la cérémonie. Certes, cela représentait beaucoup pour son peuple, dont le salaire annuel dépassait rarement 100 dollars par habitant, mais un empereur ne pouvait en aucune façon se montrer mesquin et avare de l'argent des autres.

Tout étant en ordre, Bokassa s'arracha à sa contemplation pour prêter le serment précédant son couronnement :

« Nous, Bokassa Ier, empereur de Centrafrique, jurons et promettons solennellement, devant le peuple, devant l'humanité tout entière et devant l'histoire, de tout mettre en œuvre pour veiller scrupuleusement à la saine application de la Constitution de l'empire centrafricain[5]. »

Après ce petit discours que Bokassa avait fait semblant de lire[6], le nouvel empereur prit la couronne et se la posa lui-même sur la tête, s'autoproclamant « Empereur de Centrafrique par la volonté du peuple centrafricain, uni au sein du parti politique national : le Mouvement pour l'évolution sociale de l'Afrique noire ». Il reçut ensuite, de la main de ses officiers de la garde, l'épée de son sacre qui lui était offerte par son « cher parent », le président Valéry Giscard d'Estaing.

Il venait enfin de réaliser son plus grand rêve : non seulement il avait fait mieux qu'Élisabeth II ou le shah d'Iran, mais il avait égalé Napoléon Ier.

Et, pour être certain de marquer les esprits, il fallait combler les estomacs. Une fastueuse collation était tout à fait appropriée pour faire de ce beau succès un triomphe inoubliable. Aussi, Bokassa n'avait pas hésité à voir en grand pour la réalisation de ce dîner plus que parfait : 240 tonnes de victuailles et de boisson, 65 000 bouteilles du meilleur champagne ainsi que des Château-Lafitte

Rothschild et des Château Mouton-Rothschild 1971 servis par des serveurs et des maîtres d'hôtel venus tout droit des plus grands établissements parisiens, un plateau de caviar si lourd que deux chefs furent nécessaires pour le porter, un dessert colossal dressé sur sept étages et servi accompagné d'un lâché de colombes. Le tout sur une musique enjouée, animée par Manu Dibongo et l'orchestre de la marine française venus spécialement à Bangui sur ordre de la présidence pour jouer le classique de la Légion : *Tiens, voilà du boudin.*

Un honneur que dut particulièrement apprécier cet ancien adjudant de l'armée française en Indochine. Du haut de son trône napoléonien, il lui était facile de mesurer le chemin parcouru, depuis sa promotion de chef d'état-major de la toute nouvelle Centrafrique, jusqu'à celui de la présidence dont il s'empara en renversant son cousin David Dacko. Maréchal, puis président à vie, il ne lui avait manqué que le prestige de diriger un empire.

C'était à présent chose faite.

« Dans mille ans, on s'en souviendra encore », avait-il alors affirmé.

Il ne pouvait évidemment pas savoir que, n'étant plus soutenu par la France, il serait renversé moins de deux ans après, en septembre 1979, pendant une visite en Libye. Étant devenu trop voyant et trop incontrôlable, on se décida de rompre tous les liens avec Bokassa Ier, que la France s'était mise à regarder avec des yeux moins indulgents. On réalisa alors que l'ami africain, ce personnage un peu turbulent et exubérant, était aussi un autocrate sanguinaire.

Après le sacre, les massacres.

Oublié Bokassa Ier, une autre réception allait être réservée à l'Ogre de Bérengo, qui avait laissé massacrer des dizaines d'écoliers lors de manifestations populaires, avait personnellement participé à l'exécution de plusieurs opposants et encouragé un grand nombre d'exactions dans tout le pays. Après un exil de plusieurs années en Côte d'Ivoire, l'ancien chef d'État retourna en 1986 en Centrafrique où l'attendait son jugement. Bokassa, pour qui « un repas sans camembert ni beaujolais n'en était pas un » fut suspecté d'avoir eu un régime moins classique : « Parmi les chefs d'accusation, le tribunal, qui pensait probablement qu'il n'est ni séant ni prudent de regarder ce qu'un dirigeant met dans son assiette, ne retint pas l'anthropophagie[7]. »

Les témoignages pourtant ne manquaient pas.

« Selon l'accusation, dans les couloirs des palais de l'ex-empereur, on a découvert une réserve de viande humaine, plus précisément le cadavre d'un enscignant pendu à un crochet de boucher. Puis quatre cadavres mutilés entreposés dans la chambre froide d'une de ses résidences, la villa Kolongo, située à la sortie de Bangui sur la route de Beringo. Les bras et les jambes manquaient à deux d'entre eux. Un autre avait les entrailles ouvertes. Des photographies de cadavres pris dans la glace auraient circulé à Bangui, mais rien ne prouve qu'elles ont été prises dans une des résidences de l'ex-empereur[8]. »

Il est vrai que la manducation des corps, post mortem, fut une pratique sociale traditionnelle connue et tolérée en Centrafrique : « La manducation du corps d'un ennemi mort au combat ou exécuté, ainsi que celle d'un parent défunt permettent d'acquérir les forces vitales du trépassé. Une telle pratique n'a rien d'asocial : ne sont consommés que des membres du groupe décédés normalement ou des ennemis. Rien n'est donc répréhensible dans cette pratique aux yeux des villageois qui s'y livrent [...]. Le seul but était de faire participer l'individu à la grande force vitale qui anime la nature[9]. »

Cependant, il apparut clairement qu'il s'agissait pour le dictateur de s'adonner librement à des pulsions criminelles que rien ne venait freiner. C'était peut-être aussi une façon de prouver qu'on pouvait aimer l'humain… sans être humaniste.

Facétieux, Bokassa aurait ainsi fait manger à ses amis et invités le corps de plusieurs ennemis politiques, allant jusqu'à présider de véritables banquets anthropophages. Une accusation relayée par son cuisinier en chef, Philippe Linguissa, qui fit une terrible déposition au tribunal de Bangui :

« Un soir, Bokassa est arrivé. Il m'a emmené dans sa voiture et nous sommes allés chez lui. Il m'a demandé d'ouvrir un des réfrigérateurs. Je me suis rendu compte que je devais en sortir un corps humain ! […] J'ai farci le corps au riz et au pain, je l'ai recousu et je l'ai mis au four. Après, je l'ai flambé au gin. J'ai mis le couvert et Bokassa s'est mis à table. Il a commencé par les mains et les pieds[10]. »

L'ex-cuisinier de l'empereur ajouta que Bokassa ne restait pas pour longtemps en France parce qu'il y était privé de son mets préféré : la viande humaine farcie de riz et d'oignon et flambée. Une singulière habitude alimentaire que confirma un expert-comptable européen employé par l'ex-empereur et convaincu d'avoir mangé de la chair humaine :

« Je l'ignorais en commençant le plat. Mais par deux fois Bokassa m'a demandé, alors que j'avais encore la bouche pleine : "Alors tu aimes l'homme ? C'est la viande la plus savoureuse, celle qui a le plus de goût, surtout quand c'est celle d'un ennemi[11]." »

Selon d'autres témoins, ce type de banquets se serait multiplié au cours des derniers mois de règne. Cependant, au terme de son procès, Bokassa fut reconnu non coupable des charges de cannibalisme, mais la peine de mort fut confirmée pour toutes les autres charges. Une peine vite commuée en prison à vie, puis en réclusion de 10 ans, finalement amnistiée en 1993.

Lorsqu'il mourut en 1996, il venait d'être réhabilité dans tous ses droits.

« Je suis partout et nulle part. Je ne vois rien et je vois tout. Je n'écoute rien et j'entends tout... Tel est le rôle d'un chef d'État. »

JEAN-BÉDEL BOKASSA

1   Géraldine Faes et Stephen Smith dans *Bokassa Ier. un empereur français*, Calmann-Lévy, 2000, p. 31-32.

2   Interview à *Jeune Afrique*, citée par G. Faes et S. Smith dans *Bokassa Ier*, op. cit., p. 29.

3   La maison Lanvin réalisa pour l'impératrice six tenues différentes qui furent portées cette même journée, dont une robe en perles de Chine portée avec des chaussures ornées de rubis et un manteau en velours brodé d'or.

4   Adjo Saabie, *Épouses et concubines de chefs d'État africains*, L'Harmattan, 2008, p. 194.

5   *Mystères d'archives : le couronnement de l'empereur Bokassa Ier*, Arte, 8 décembre 2012.

6   Charmante coquetterie de dictateur : ne voulant pas porter ses disgracieuses lunettes de vue devant les caméras, Bokassa avait pris soin d'apprendre par cœur le texte de son serment.

7   Stéphane Mahieu, dans *Le Guide suprême*, op. cit., p. 20.

8   Martin Monestier, *Cannibales : histoire et bizarreries de l'anthropophagie hier et aujourd'hui*, Le Cherche midi, 2000, p. 176.

9   Jean-Pierre Magnant, « Loi et Superstition », dans *Science et superstition »*, colloque à l'Université de Bangui, 21-23 mai 1983.

10 M. Monestier, *Cannibales*, op. cit., p. 178.

11 Ibid., p. 177.

Idi Amin Dada :
morts sur le Nil

Envoûtant, mais surtout terrifiant, tel est Idi Amin Dada incarné à l'écran par Forest Whitaker dans *Le Dernier Roi d'Écosse* ; une interprétation magistrale de celui qui dirigea l'Ouganda de 1971 à 1979. Le chef d'État fut également le héros d'un célèbre documentaire de Barbet Schroeder réalisé en 1974, ou plutôt le sujet, tellement le dangereux dictateur y apparaît comme mégalomaniaque et ridicule.

On était très loin du panégyrique auquel Amin Dada s'était attendu. Il est vrai que celui qui se déclarait « envoyé de Dieu sur terre[1] » avait perdu depuis longtemps le sens de la réalité et de la mesure.

Né entre 1922 et 1928 dans le nord-ouest du pays, Amin Dada racontait volontiers qu'appartenant à une petite tribu nubienne et à une minorité musulmane de son pays, il traîna d'abord derrière une mère plus ou moins sorcière qui suivait les garnisons, et il n'alla jamais à l'école primaire. Il était alors simple gardien de chèvres et ne put enfin intégrer une école (islamique) qu'à l'âge de 15 ans. Il n'y resta que deux ans. Recruté par l'armée coloniale anglaise en 1946 comme aide-cuisinier, il allait vite troquer ses couteaux de cuisine pour la machette du militaire, car il fallait mater la rébellion des Mau Mau au Kenya, réprimer le soulèvement des Anyanyas dans le Sud-Soudan et désarmer les guerriers karamajong en Ouganda.

Pour cela, sa méthode était simple et ingénieuse : il faisait se tenir debout les rebelles, le sexe posé sur une table et, armé d'une machette, Amin menaçait de les châtrer s'ils ne révélaient pas leurs caches d'armes. Une brutalité qui lui valut d'être rapidement remarqué par ses chefs : « Bon exécutant, mais le coupe-coupe trop rapide[2]. » Ses faits d'armes et ses victoires sur les rings de boxe[3] lui permirent néanmoins de passer caporal, puis sergent des King's African Riffles. Sous-officier habile, zélé et cruel, il était très apprécié de sa hiérarchie qui sut voir ses grandes qualités militaires : « Bon bougre, plutôt faible en matière grise[4]. »

La perspective de l'indépendance se profilant à l'horizon, les autorités britanniques assurèrent avec bienveillance la promotion d'Amin Dada qui obtint en 1959 le grade d'effendi[5].

Elles espéraient ainsi pouvoir compter sur un homme peu cultivé, maniable, mais peut-être appelé à jouer un rôle important dans l'Ouganda indépendant. Reconnaissant à la Couronne britannique qui lui avait tout donné, l'homme pouvait s'avérer utile...

À l'indépendance de l'Ouganda, Amin, bien qu'analphabète, était parvenu jusqu'au rang de chef d'état-major général de l'armée. Une position idéale pour s'emparer du pouvoir. Il n'y manqua pas. Cela se passa en 1971, à la faveur d'une absence du président Milton Obote.

Cependant, une fois au pouvoir, l'homme qui semblait pouvoir être manipulé par les puissances occidentales s'avéra devenir un personnage impulsif, retors et para-noïaque.

Les Britanniques allaient vite déchanter : Amin Dada décida de renverser ses alliances extérieures, de tourner le dos aux Anglais et aux Américains, et de trouver de nouveaux alliés auprès des Soviétiques et du dictateur libyen Kadhafi. Se mit aussitôt en place un généreux système d'aide internationale à la dictature naissante. L'Union soviétique lui livra des armes perfectionnées pour lesquelles la Libye lui fournit des conseillers mili-taires appuyés par une police secrète gentiment entraînée par l'Allemagne de l'Est.

L'Arabie saoudite lui offrit des millions de dollars, l'Égypte lui envoya des professeurs d'université, et ses gardes du corps lui furent fournis par l'Organisation de libération de la Palestine qui tenait à le remercier de ses rodomontades anti-israéliennes.

Ensuite, après avoir procédé à des purges ethniques massives dans l'armée, il décida l'expulsion de la forte communauté indo-pakistanaise (50 000 personnes), qui détenait une grande partie du commerce du pays, pillages et massacres accélérant le départ des indésirables.

Ivre de pouvoir nouvellement conquis, Amin Dada se proclama « maréchal à vie », puis, plus sobrement, le « maître de toutes les bêtes de la terre et des poissons de la mer et conquérant de l'Empire britannique en Afrique en général et en Ouganda en particulier ». En vrai césar de pacotille, il se mit à multiplier les farces et à dépenser sans compter pour assouvir sa mégalomanie : voitures de course, fêtes somptueuses, armes…

Il aimait choisir sa voiture en fonction de son habit. Avec un costume de réception, la Mercedes. En survê-tement, la Maserati rouge. L'uniforme de campagne se mariant à merveille avec la Range Rover équipée de gadgets façon James Bond ou Mad Max. Plus tard, quand sa population mourra de faim, un avion d'Uganda Airlines ira chercher chaque semaine en Angleterre des vêtements et des produits de luxe, du whisky et des cigarettes pour les officiers loyaux.

Pour l'heure, c'étaient des rodomontades dignes du « plus grand chef d'État du monde » qu'il se disait être.

Un jour, il menaça de ses foudres Nyerere, chef de l'État tanzanien ; le lendemain, il lui télégraphiait : « Je vous aime tant que, si vous étiez une femme, je vous épouserais[6]. » Un autre jour, il souhaita au président Nixon un « prompt rétablissement » après l'affaire du Watergate, puis il eut l'idée de proposer d'envoyer des colis de vivres, notamment des tonnes de bananes, à la Grande-Bretagne en pleine récession économique. D'ailleurs, amoureux de l'Écosse, il se nomma « roi d'Écosse » afin d'aider les Écossais à se libérer du joug anglais. À cette fin, il fit équiper un de ses régiments de kilts et de cornemuses[7]. Cependant, devant la complexité logistique de l'invasion, il dut renoncer à son œuvre émancipatrice.

Après le raid des terroristes palestiniens aux Jeux olympiques de Munich, il expédia un télégramme aux Nations unies exprimant son regret qu'Hitler n'ait pas exterminé davantage de juifs, puis annonça qu'il allait faire ériger à Kampala une statue de l'ex-maître de l'Allemagne nazie[8]. Enfin, pour le jubilé d'argent de la reine d'Angleterre, il s'invita lui-même à Buckingham Palace, prévenant « à temps » le palais pour qu'on lui préparât « un séjour confortable » et n'hésitant pas à demander à cette chère Élisabeth de lui envoyer sa « culotte de 25 ans ».

Espérant être reconnu comme le grand dirigeant d'une Afrique enfin libérée, il fit tout pour se distinguer des autres chefs d'État. Ainsi, il se présenta lors d'une réunion au sommet tenue au Gabon en arborant des revolvers à crosse de nacre et un chapeau de cow-boy, il arriva dans une litière portée par quatre hommes blancs au sommet de l'Organisation de l'unité africaine, fit s'agenouiller à ses pieds quelques citoyens britanniques prêts à combattre sous ses ordres pour libérer l'Afrique du Sud du joug impérialiste.

Cependant, son peuple se moquait plutôt de ce « citoyen de troisième classe[9] » qui affichait superbement son torse, sa virilité, ses cinq femmes et ses multiples enfants, et qui paraissait somme toute assez ridicule.

Mais toute critique allait cesser très rapidement lorsque ce pitoyable farceur et roi d'opérette se mua en dictateur le plus draconien et le plus sanglant de son époque. Après son goût pour la farce et l'exubérance, Amin Dada laissa libre cours à sa propension immodérée pour la violence et jeta le pays tout entier dans l'épouvante.

Fort d'une armée dont il doubla l'effectif en quatre ans grâce à l'aide de l'Union soviétique, le bon soldat soumis et docile s'était mué en revanchard, assoiffé de conspirations, de trahisons et d'assassinats. Prudent et désireux de garder un œil sur sa population, Amin avait l'habitude de visiter les garnisons éparpillées dans tout le pays : « Sur la place, il réunit ses soldats.

Le maréchal fait un discours. Il aime parler pendant des heures. Comme surprise, il leur a apporté un notable, civil ou militaire, qu'il soupçonne de trahison, de conspiration ou d'attentat. Attaché avec des cordes, couvert de coups et mort de peur, l'inculpé est placé sur une estrade. Excitée par le spectacle, la foule entre en transe et hurle. « *What shall I do with him ?* » hurle encore plus fort Amin. Et les cohortes de scander : « *Kill him ! Kill him now*[10]*!* »

Extravagant et fantaisiste, Amin se révélait un dictateur omnipotent devant lequel toute opposition devait courber l'échine… pour mieux se faire couper le cou. Ainsi, par « principe de précaution », il fit assassiner le chef d'état-major de l'armée, le premier magistrat de l'ordre judiciaire, le vice-recteur de l'université Makerere, son médecin personnel… À la suite de quoi, il passa de la confection artisanale des meurtres à une véritable industrialisation de la mort. Le temps était venu pour les massacres de masse et la torture, systématisée et institutionnalisée :

« Les chambres de torture se trouvent dans des bâtiments au centre de la ville. Les fenêtres sont ouvertes, car nous sommes sous les tropiques. Dans la rue, les passants entendent des cris, des gémissements, des coups de feu. Celui qui tombe entre les mains des bourreaux disparaît. Très vite surgit une catégorie qu'on appelle en Amérique latine les *desaparecidos* : ce sont ceux qui disparaissent. On sort de chez soi et on ne revient plus. "*Nani* ?" demandent les policiers si un membre de la famille exige des explications. "*Nani* ?" (en swahili : "Qui ?" – L'homme n'est plus qu'un point d'interrogation[11]). »

En 1971, le fleuve majestueux qu'est le Nil se fit un peu mondain. Cette année-là, au lieu de se contenter de transporter benoîtement crocodiles et hippopotames, il se mit à charrier du beau monde.

En quelques mois, on dénombra des centaines de cadavres dont onze ministres, trois parlementaires, le gouverneur de la banque centrale, le maire de Kampala et cinq journalistes occidentaux.

C'était l'année d'une crue millésimée.

Le délice d'Amin Dada était d'assister à sa torture préférée : faire jeter ses prisonniers vivants dans une fosse de crocodiles affamés.

D'ailleurs, on rapporta que les redoutables crocodiles du Nil étaient tellement repus qu'ils finissaient, sans doute dégoûtés par une indigestion de viande humaine, par se détourner de corps qu'on leur jetait.

Pendant ce temps, à la prison de Makindye, les détenus étaient contraints de se battre à mort les uns contre les autres à coups de masse.

Tout était bon pour faire le plus de victimes possible :

« Beaucoup furent torturées, dynamitées en groupe, ou tuées à coups de massue, leurs corps jetés aux crocodiles du Nil, leurs restes encombrant les turbines du barrage hydroélectrique d'Owen Falls, ou brûlés dans la savane, ou laissés aux vautours. D'autres infortunés furent fusillés publiquement, couverts d'un tablier blanc pour que le sang soit ainsi mieux visible. D'autres, encore, maintenus la tête sous l'eau jusqu'à la noyade, ou étouffés par leurs sexes coupés enfoncés dans leur gorge, ou bien écrasés par des chars à l'intérieur des casernes[12]. »

Lorsque Kampala était privé d'électricité, on disait que c'étaient les cadavres des opposants jetés dans le Nil qui obstruaient les turbines. On évoqua aussi des rituels sanglants, des cadavres étrangement mutilés et des têtes des ennemis entreposées dans les réfrigérateurs du dictateur. Le maréchal se serait également livré à l'anthropophagie :

« C'est ce qu'affirma, en 1975, depuis Londres où il s'était réfugié, son ancien médecin personnel, le professeur John Kibukamusoké. Celui-ci a fui pays et fonction pour éviter, selon ses dires, le sort de Michael Ondaga, ministre des Affaires étrangères dont le général Idi Amin Dada voulait le remplacement et dont il mangea le foie et le cœur en 1973 avant de faire jeter le cadavre mutilé dans le Nil[13]. »

Dans ses mémoires, Henry Kyemba, qui travailla plusieurs années pour le dictateur, estimait que « pour comprendre le règne de terreur d'Amin, il est nécessaire de se rendre compte qu'il n'est pas un tyran ordinaire. Il ne se contente pas d'assassiner ceux qu'il considère comme ses ennemis [...]. Même après leur mort, il les traite de façon barbare [...]. Il leur manque souvent le foie, le nez, les lèvres, les organes génitaux ou les yeux. Les tueurs d'Amin suivent ses instructions et les mutilations sont perpétrées selon un processus bien défini[14]. »

Cette mutilation des morts correspondait en réalité à un acte traditionnel et à un rituel exécuté par les guerriers sur leurs ennemis pour célébrer leur victoire.

L'acte pouvait s'accompagner d'anthropophagie destinée non seulement à s'approprier la force d'autrui, mais également à marquer sa domination et inspirer la terreur à l'ennemi[15], « une coutume à laquelle l'enfant devenu dictateur ne dérogea pas, notamment en gardant toujours en réserve dans des congélateurs les têtes de quelques contestataires présumés[16] »...

L'Ouganda, ancienne perle de l'Afrique chère à Churchill, était devenue, dans les années 1970, un paradis perdu gouverné par le diable. La mégalomanie sanguinaire de l'Ogre de Kampala et son régime policier imposèrent 8 années de terreur aux populations pendant lesquelles 200 000 à 300 000 personnes[17] trouvèrent la mort dans les conditions les plus horribles. Plus de 100 000 Ougandais avaient précipitamment quitté le pays qui s'enfonçait dans le chaos économique et social.

Le taux d'inflation dépassait 200 % par an, les transports s'étaient arrêtés, les usines avaient fermé et les cultures étaient laissées à l'abandon. Le pays était ruiné économiquement, anéanti moralement et plus que jamais déchiré par des conflits ethniques.

Heureusement, le règne allait finir par une lubie grotesque.

Afin de détourner ce mécontentement croissant, Amin décréta l'invasion de la Tanzanie en octobre 1978. Ce qui précipita le désastre. Les forces tanzaniennes contre-attaquèrent et encerclèrent rapidement Kampala, d'où le dictateur dut s'enfuir dans les conditions les plus humiliantes.

Réfugié auprès de son ami Kadhafi, hébergé à l'hôtel Andalus, à Tripoli, puis dans une villa-forteresse de Misratah, il s'y rendit très vite insupportable, ne fonctionnant qu'au whisky, insultant tout le monde, courant après toutes les femmes.

Expulsé de Libye, Amin dut alors trouver refuge en Arabie saoudite, qui l'accueillit généreusement pour le remercier d'avoir contribué à propager l'islam, et où le dictateur put tranquillement terminer ses jours.

« Je n'ai pas de remords.
Juste de la nostalgie. »
IDI AMIN DADA

1 A. Conte, *Les Dictateurs*, op. cit., p. 58.

2 Id.

3 Ce colosse de 1 m 90 et de 120 kilos fut 9 fois champion d'Ouganda dans la catégorie poids lourds.

4 A. Conte, *Les Dictateurs*, op. cit., p. 57.

5 Plus haut grade qu'un soldat noir peut obtenir dans l'armée coloniale britannique et correspondant plus ou moins à lieutenant.

6 *East African*, 18 août 2003.

7 Cet épisode inspira le romancier Giles Foden pour son livre *Le Dernier Roi d'Écosse*, dont fut tiré le film.

8 A. Conte, *Les Dictateurs*, op. cit., p. 58.

9 Il était méprisé d'une grande partie des Ougandais en raison de son appartenance à l'ethnie KwaKwa et de sa confession musulmane.

10 Ryszard Kapuściński, *Ébène . aventures africaines*, Plon, Pocket poche, 2000, p. 168.

11 Ibid., p. 166.

12 Michel Faure, « Idi Amin ou le malheur de l'Ouganda », dans *L'Express*, 28 août 2003.

13 M. Monestier, *Cannibales*, op. cit., p. 180.

14 Henry Kyemba, *State of Blood*, Ace Books, 1977.

15 Hervé Savon, *Du cannibalisme au génocide*, Hachette, 1972.

16 V. Chalmet, *L'Enfance*, op. cit., p. 29.

17 Soit 1 habitant sur 40.

KHOMEYNI : le séjour français d'un Ayatollah

Selon Marcel Proust, « la photographie acquiert un peu de la dignité qui lui manque quand elle cesse d'être une reproduction du réel et nous montre des choses qui n'existent plus ».

À ce titre, la une du magazine *Weekly Ettelaat* datant du 20 septembre 1974 et représentant la célèbre actrice Farsi Forouzan, jambes croisées et dénudées, ou ces photos anonymes représentant de charmantes demoiselles flânant en minijupe dans les rues de Téhéran[1] sont véritablement fascinantes, car elles appartiennent à une sorte de « belle époque » iranienne rappelant cruellement aux jeunes Persanes d'aujourd'hui cette vérité proustienne selon laquelle « les vrais paradis sont ceux qu'on a perdus[2] ».

En réalité, le régime autocratique du shah d'Iran était loin d'être un paradis, et la SAVAK, la sécurité intérieure, n'avait absolument rien d'angélique, mais les dérives autoritaires de la monarchie allaient bientôt sembler bien innocentes en comparaison des exactions commises par les Gardiens de la révolution. Gardiens encouragés et dirigés par leur Guide de la révolution, un certain Rouhollah

Khomeyni tout juste arrivé de France ce 1er février 1979. Ce curieux personnage était pourvu d'un visa de tourisme, mais n'avait évidemment rien d'un voyageur ordinaire.

Contraint à l'exil pour sa violente opposition au shah, Khomeyni avait fini par trouver refuge en France.

Le 6 octobre 1978, il débarquait, à Orly-Sud, d'un appareil en provenance de Bagdad, quasiment sans bagages, simplement accompagné par son fils, son petit-fils et deux amis. Barbe grise, turban noir, toge brune et sandales, muni d'un passeport iranien et n'ayant besoin d'aucun visa, ce touriste un peu particulier pouvait ainsi séjourner trois mois en France sans en informer la police.

Il fut d'abord logé une semaine à Cachan, dans un F3 appartenant à un étudiant iranien de 35 ans, puis il déménagea le 13 octobre pour la banlieue ouest et s'installa dans un paisible village des Yvelines, dans un pavillon à Neauphle-le-Château, dont un couple franco-iranien lui laissait l'usage.

Si la présence nombreuse et soudaine de gendarmes armés jusqu'aux dents fit d'abord craindre au passage de Jacques Mesrine, l'ennemi public numéro un de l'époque, les habitants de ce petit village calme se rendirent vite compte qu'ils se retrouvaient au centre de complexes enjeux politiques, surtout lorsque le pavillon devint, au fil des semaines, le lieu de convergence de tous les musulmans chiites de France et d'ailleurs en Europe.

La France et ses alliés ayant décidé de lâcher le shah d'Iran, on se fit un plaisir d'accueillir Khomeyni, qui semblait présenter les gages d'une alternance avantageuse à une monarchie échappant de plus en plus à la sphère d'influence occidentale.

Le président Valéry Giscard d'Estaing aurait d'ailleurs avancé que « si le shah restait, l'Iran allait vers une guerre civile et un immense bain de sang. Les communistes deviendraient de plus en plus puissants. Les officiers américains stationnés en Iran entreraient dans le conflit, ce qui donnerait un prétexte aux Soviétiques pour intervenir[3] ».

On se mit donc en quatre pour recevoir l'invité de la France, surtout que ce petit homme de 76 ans, dont le prénom Rouhollah signifiait « âme de Dieu », semblait de prime abord relativement inoffensif et aisément manipulable.

Après tout, ce qu'il souhaitait était parfaitement honorable : la chute du régime impérial dans son pays, l'instauration de la démocratie, de la liberté d'expression et du culte, le respect le plus strict des droits les plus élémentaires de l'homme. Et il ajoutait même : « Quand je serai de retour sur ma terre bien-aimée d'Iran, je retournerai dans ma ville et ma mosquée de Ghom, pour y prier le Tout-Puissant jusqu'à la fin de mes jours[4]. »

On eut donc à cœur de satisfaire au mieux à toutes ses exigences, comme lorsqu'il voulut que le pavillon mis à sa disposition soit transformé pour assurer une séparation entre l'appartement des femmes et celui des hommes ou lorsqu'il demanda à dresser une tente dans le jardin d'en face pour y improviser une mosquée destinée à ses prières quotidiennes.

Chaque jour, les gendarmes fermaient la rue de Chevreuse à la circulation pour que l'ayatollah puisse quitter la petite maison aux volets bleus, où il résidait, et ainsi se rendre en toute tranquillité dans une petite maison aux volets verts, où se déroulaient ses manifestations publiques.

Les toilettes occidentales furent même « converties » en toilettes à la turque, moins pratiques à l'usage, mais plus conformes à la tradition. On mit également et gracieusement à sa disposition un studio d'enregistrement reproduisant à des millions d'exemplaires ses discours sur cassettes, sans compter des lignes spéciales de téléphone et de télex afin qu'il puisse préparer au mieux sa révolution en passant directement ses ordres à ses lieutenants de Téhéran.

Par centaines, les journalistes affluèrent du monde entier.

Pendant les quatre mois de son séjour, Khomeyni accorda 132 entretiens aux journalistes, publia 50 déclarations aussitôt diffusées en Iran, œuvrant quotidiennement à

la chute du shah, « un serpent blessé auquel il faut donner le coup de grâce avant qu'il ne morde une dernière fois[5] ».

C'était donc là, à Neauphle-le-Château, que furent fixés les grands axes de l'action révolutionnaire. Pendant que sa femme se réjouissait de pouvoir découvrir Paris et ses riches boutiques, ne dédaignant pas d'aller goûter quelques gâteaux aux Galeries Lafayette[6], son ayatollah de mari se gardait bien de s'aventurer dans cette Babylone moderne, haut lieu de luxure et de corruption. Khomeyni avait compris que son heure était venue et que les circonstances allaient enfin lui permettre de triompher de son vieil ennemi, le chah d'Iran : « Il organisa, grâce à son charisme, non pas un contre-gouvernement, mais un centre de subversion très efficace[7]. »

Bien qu'étant le lieu emblématique de la décadence morale de l'Occident, Paris était l'endroit idéal où devait se faire entendre la parole de l'ayatollah, comme le reconnut A. Bani Sadr, le premier président de la République islamique d'Iran :

« Ici en France, c'est un carrefour des idées, des informations. Aucune capitale dans le monde n'équivaut à Paris en ce qui concerne le courant des idées, des informations. C'est une ville plus libre pour quelqu'un comme Khomeyni qui avait besoin de parler au monde et au peuple iranien. Et tout cela, où pouvait-il aller pour le dire ? À Londres, à Washington ? Non[8]. »

Cependant, afin d'éviter de heurter la France, on évita de parler, pour l'heure, de la « corruption de l'Occident » et de critiquer le grand Satan américain. Il n'était pas non plus inutile d'emporter l'adhésion des intellectuels de Saint-Germain-des-Prés qui avaient eux-mêmes tenté, 10 ans plus tôt, leur révolution et croyaient trouver là l'incarnation de leurs idéaux.

En outre, nombre d'anciens de mai 68 se montraient ravis de participer à la destitution du shah, allié des États-Unis et de leur impérialisme honni. Enthousiastes, Jean-Paul Sartre et Simone de Beauvoir firent le déplacement jusqu'à Neauphle-le-Château, l'un prenant la tête d'un comité de soutien, l'autre faisant le déplacement jusqu'en Iran en pleine révolution islamique, pendant que Michel Foucault consacrait une série d'articles dithyrambiques sur l'ayatollah et sa « spiritualité politique », ne tarissant jamais d'éloges pour le « saint homme exilé à Paris ».

Un saint homme posant complaisamment sous son pommier et qui aimait donner l'image d'une personne solitaire, pauvre, faible et démunie, pendant que ses assistants dissimulaient dans la petite maison aux volets bleus des valises de billets apportées par des soutiens de plus en plus nombreux et préparaient des prêches de plus en plus virulents :

« Le silence mène à la déchéance et au suicide du peuple. Notre devoir est d'intervenir dans les affaires de l'État. Il faut combattre par tous les moyens. Les ulémas[9] ont pour missions d'éliminer les régimes despotiques, et en premier lieu celui du shah[10]. »

Toutefois, la modération du révolutionnaire religieux était toute relative, et les recommandations du ministre des Affaires étrangères étaient bien souvent oubliées. Très vite, Khomeyni se révéla être un hôte particulièrement encombrant pour la France.

Chaque jour, c'étaient des appels au meurtre. Dans des proclamations retentissantes, Rouhollah Khomeyni rejetait tout compromis, prêchait ouvertement la révolution, condamnait le régime du shah, demandait aux militaires de déserter et recommandait aux pauvres de piller les riches.

Paris commençait à regretter d'avoir proposé son hospitalité.

Mais il était déjà trop tard. La révolution était en marche et plus rien ne pouvait l'arrêter. Ainsi, lorsqu'un jour son leader dépassa la mesure et qu'un représentant du gouvernement vint lui demander très respectueusement de garder le silence, Khomeyni répondit par cette phrase restée fameuse : « Je dirai ce que j'ai à dire, même si je dois aller d'aéroport en aéroport[11]. »

Le 16 janvier 1979, des partisans annoncèrent la grande nouvelle si longtemps attendue : le shah d'Iran venait de quitter le pays pour trouver refuge en Égypte. La révolution venait de commencer. Khomeyni comprit qu'il était temps pour lui de rentrer, ce qu'il allait faire deux semaines plus tard, dans un avion affrété par Air France.

William Caruchet, qui eut l'occasion de croiser Khomeyni au moment de son retour en Iran, en laissa ce portrait saisissant :

« Aucun sourire. Masque de cire. Aucune ride. Mais quel regard, un regard de feu. Des yeux impitoyables. Il ne livre rien de ses pensées. C'est une armure. C'est le fils constant de l'islam, sans états d'âme. Il ne marche pas à l'affection, mais à la crainte. Il n'a en lui que des certitudes. Le doute ne l'effleure pas. Il plie la réalité à ses idées. Ses mots sont sans appel. [...] Quatre-vingt-six ans, un monolithe de granit, rugueux, inébranlable. Homme de Dieu et homme de fer, le pardon est rayé de son vocabulaire. Il navigue à vue dans la tempête. C'est une réalité intemporelle[12]. »

Intemporelle, peut-être, mais qui allait brutalement s'incarner dans la chronologie de l'Iran ce 1er février 1979, date du retour de Khomeyni dans son pays natal et début d'une révolution islamique qui allait transformer l'Iran autocratique du shah en véritable dictature théocratique.

Des pelotons d'exécution furent aussitôt constitués et œuvrèrent pendant des mois, les geôles ne désemplirent plus, on lapida plus de mille femmes, on assassina, on tortura tous ceux qui ne satisfaisaient pas aux nouvelles règles d'un islam pur et dur[13].

Dans l'enthousiasme général, du moins dans celui des Gardiens de la révolution, venait de naître la République islamique d'Iran.

> *« Ces gens sont coupables. Écoute ce qu'ils*
> *ont à dire et envoie-les au diable. »*
> ROUHOLLAH KHOMEYNI

---

1   http://www.pagef30.com/2009/04/iran-in-1970s-before-islamic-revolution.html.
2   Marcel Proust, *Le Temps retrouvé*, NRF, 1927, p. 13.
3   Houchang Nahavandi, *La Révolution iranienne : vérité et mensonges*, L'Âge d'homme, 1999, p. 196.
4   Freidoune Sahebjam, « Khomeyni en France », dans *Le Figaro*, 6 octobre 1998.

5 William Caruchet, *Khomeyni : le janissaire de l'islam*, Saurat, 1987, p. 57.

6 D. Ducret, *Femmes de Dictateurs 2*, op. cit., p. 211.

7 Jean-Pierre Digard, Bernard Hourcade, Yann Richard, *L'Iran au XXe siècle*, Fayard, 1996, p. 161-162.

8 Abolhassan Bani Sadr, dans *Les 112 Jours de Khomeyni en France*, documentaire de Gérard Puechmorel, France 3, 2012.

9 Théologiens de l'islam.

10 W. Caruchet, *Khomeyni*, op. cit., p. 57.

11 Ibid., p. 56.

12 Ibid., p. 45-46.

13 En 1982, un rapport d'Amnesty international avait recensé plus de 4000 exécutions 1 an seulement après le début de la révolution.

Ceauşescu : vampire vous avez dit vampire ?

Pour celui qui désire visiter ce magnifique pays qu'est la Roumanie, un apprentissage des bases de la conversation en roumain n'est peut-être pas complètement inutile. Cependant, on pourrait très certainement se montrer surpris, et un peu inquiet, d'avoir à apprendre dès les premières leçons la signification de cette phrase : « *Numai ce am fost muşcat de un vampir*[1]. » Autrement dit : « Je viens de me faire mordre par un vampire. »

Bien sûr, il s'agit d'un clin d'œil folklorique à l'histoire de la Roumanie, mais il est un peu triste de penser qu'aux yeux des Occidentaux, ce pays est principalement incarné par deux figures nationales assez peu flatteuses : Vlad III l'Empaleur et Nicolae Ceauşescu.

Pourtant, Ceauşescu semblait bien différent du terrible prince voïvode[2] et ressemblait plutôt à un berger des Carpates : courtaud, le nez épais et la lèvre lourde, pour Erich Honecker, « il sent la bergerie[3] » et n'avait donc, a priori, rien de bien redoutable.

Cependant, il convient de se méfier des premières impressions.

L'ancien dirigeant communiste n'avait rien de ces âmes naïves, indécises et rêveuses dont on aimerait peupler les paysages bucoliques et sauvages d'Europe de l'Est.

Né en 1918 au sein d'une famille paysanne de dix enfants, Nicolae Ceaușescu s'installa en 1929 à Bucarest, où il travailla très tôt comme cordonnier. Jeune communiste enthousiaste et militant, il allait très vite grimper les échelons : secrétaire de l'Union des jeunesses communistes en 1944, ministre de l'Agriculture deux ans plus tard, membre du Bureau politique en 1955, puis premier secrétaire du Parti, il accéda enfin à la présidence de la République en 1974, fonction qu'il allait conserver pendant 15 ans en maintenant son pays sous la poigne de fer de la *Securitate*, sa police politique.

Comme la plupart des dictateurs, Ceaușescu institua en sa faveur un culte de la personnalité omniprésent, se faisant désigner sous les titres de *Conducător*[4], de *geniul din Carpați*[5].

Il fut même appelé « Danube de la pensée », ce qui cachait bien mieux le côté tyrannique de sa personnalité que le surnom assez transparent de « Dracula[6] » qui fut donné au fils de Vlad Dracul, le prince de Valachie Vlad III *Țepeș*. Autrement dit, Vlad l'Empaleur, en hommage au supplice du pal popularisé par le prince.

Sans doute d'origine assyrienne, cette torture avait été « perfectionnée » par l'utilisation, au lieu de pieux aiguisés (qui tuaient trop rapidement), de piquets arrondis et enduits de graisse pour prolonger le supplice. Introduit dans le rectum, le pal, sur lequel s'appuyait tout le poids du corps de la victime, se frayait un chemin sans léser les organes vitaux et ressortait par la bouche sans tuer[7].

Le supplicié, ainsi exposé, mourait de soif au bout de deux à trois jours, les yeux mangés par les corbeaux, mais en possession de tous ses esprits. Dracula, qui avait planté une forêt de pals sous les fenêtres de son palais afin d'admirer à son aise les soubresauts de ses victimes, y gagna son surnom et sa renommée de prince sanguinaire.

On estima que le prince empala, écorcha, étrangla, fit bouillir ou griller, mit à mort de quelque autre manière ingénieuse au moins 50 000 personnes durant son règne. Sanguinaire, il le fut donc, mais pas au point de revenir d'entre les morts pour boire le sang des vivants.

Ses faits et « sa geste » firent d'abord l'objet d'un ouvrage populaire imprimé de son vivant, *L'Histoire du voïévode Dracula*, qui contribua à en faire une figure légendaire en Europe centrale dès la fin du XVe siècle. Mais au même moment fut publiée *L'Histoire du prince Dracula*, un pamphlet calomnieux se réduisant à un catalogue d'atrocités en tous genres, qui fut propagé après sa mort par ses ennemis :

« Il imagina des tortures terrifiantes, épouvantables et indicibles, car il empala des mères et des nourrissons, et des enfants de un ou deux ans et plus. Il arracha des enfants du sein de leur mère et des mères à leurs enfants. Il fit couper les seins des mères, pressa dessus la tête des enfants et les fit empaler, et beaucoup d'autres tortures. Il infligea de si grandes douleurs et tortures jamais imaginées par tous les tyrans et tortionnaires à l'encontre des chrétiens, tels Hérode, Néron et Dioclétien et autre païens, qui n'ont jamais fait autant de mal que ce tyran[7]. »

Mais ce sera bien plus tard que le mythe du vampire se confondra avec celui de Dracula, lors de la publication en 1897 du roman fantastique de Bram Stocker : *Dracula*. Le succès fut immédiat et prodigieux.

Quelques années après la mort de son auteur, en 1912, le livre était déjà traduit dans presque toutes les langues (sauf en roumain !). Par ce roman, puis par la magie du cinéma, le *Nosferatu*[8] de Friedrich Murnau en 1922,

Dracula de Tod Browning en 1931 et *Vampyr* de Carl Dreyer l'année suivante, le prince de Valachie allait devenir un véritable mythe.

Ainsi, dans les années 1960 et 1970, en pleine ère communiste, « Dracula le vampire » draina les premiers touristes en Roumanie, d'importants contingents d'Anglais et d'Américains qui arrivaient le nez dans le livre de l'écrivain irlandais pour découvrir les charmes insolites de la Transylvanie.

En 1976, la Roumanie fêta le 500e anniversaire de sa mort et à cette occasion un « Dracula Tour » fut organisé pour ces touristes étrangers.

Cependant, cette incroyable popularité internationale commença à éveiller des soupçons chez les dirigeants communistes. En fait, le roman de Bram Stocker n'ayant pas été traduit en roumain, ils ignoraient tout des liens qui unissaient les personnages historiques et fictifs.

Ce fut donc un choc pour les responsables politiques lorsqu'ils virent que celui qu'ils considéraient comme un héros national, garant de l'indépendance face aux hordes turques, avait été transformé dans le roman, mais aussi dans les nombreux films qui lui avaient fait suite, en cruel tyran et en vampire assoiffé de sang.

Or, au même moment, l'historiographie roumaine se complaisait à comparer régulièrement Ceauşescu avec les grands héros nationaux du passé, et notamment le fameux Vlad III.

Aux yeux des propagandistes, la cruauté et les mœurs archaïques et barbares du prince pouvaient être acceptées si l'on prenait soin de les remettre dans le contexte de l'époque, mais on ne pouvait accepter de voir leur grande figure nationale travestie en créature démoniaque et en monstre sanguinaire.

Il aurait été alors facile aux opposants de faire un lien avec le présent, de jouer sur les comparaisons pour dénoncer le caractère vampirique du régime actuel.

Aussi, Ceauşescu décida qu'il était temps de réparer une injustice qui faisait offense à un de ses illustres prédécesseurs.

Du moment où l'image de la Roumanie et surtout l'image de son passé à l'étranger devenait une préoccupation d'État, le sujet sur Vlad l'Empaleur était inévitable. Il fallait indiscutablement réagir devant les films et les récits inspirés de la légende de Dracula qui circulaient à l'Ouest et qui faisaient du prince valaque du XVe siècle un vampire.

Aussi Ceauşescu ordonna-t-il aux autorités roumaines de réhabiliter Dracula et décida qu'il était du devoir des cinéastes de remettre dans ses droits un personnage si mal jugé par la postérité.

L'Office national de tourisme commanda au réalisateur Ion Bostan un film documentaire sobrement appelé *Dracula, légende et vérité*, film qui obtint en 1973 le prix national, « la coupe de cristal », pour le meilleur documentaire.

Cependant, le cinéma de fiction était un moyen plus efficace que les campagnes de promotion touristique pour populariser cette personnalité.

On décida donc de réaliser un film de fiction consacré à Vlad l'Empaleur, personnage « grandiose dans sa pensée politique et tragique dans la solitude de l'exercice de son pouvoir[9] ».

On reconnaissait là la touche idéologique chère à Nicolae Ceauşescu qu'on s'imagine facilement s'identifier pleinement à la « figure lumineuse » du prince voïvode toujours animé d'une soif de justice.

Ainsi, en 1978, *Vlad Tepes ou la Vraie Vie de Dracula* de Doru Nâstase se proposait de rendre au héros national les couleurs de la vérité et de « combattre l'image dénaturée tendancieusement par une fausse historiographie et par la série des films "d'horreur" qui portent le titre générique de *Dracula*[10] ».

On oublia bien sûr d'évoquer quelques détails gênants, notamment sur le chapitre de la cruauté. Le terrible prince sanguinaire était pratiquement devenu « un gars gentil » et le « réalisateur demandera en vain, par souci de réalisme historique, d'atténuer les tentatives trop évidentes d'idéalisation et d'humanisation de Vlad[11] ».

L'injure faite à Nicolae Ceauşescu, grand défenseur des valeurs nationales, venait d'être réparée, et les rumeurs liées au personnage de Dracula, neutralisées : « Le film envisage de présenter dans la lumière de la vérité historique, la figure du voïvode roumain et de combattre l'interprétation Vlad l'Empaleur-Dracula[12] ».

Le film présenta donc Vlad comme un prince principalement désireux de rétablir la justice dans son pays, quitte à employer des mesures « un peu dures » envers les voleurs et les gens malhonnêtes, n'hésitant pas à pardonner les erreurs du passé et à ouvrir grand les portes des prisons. À cela s'ajoutait l'image d'un défenseur de l'indépendance nationale luttant avec courage et énergie contre l'ennemi turc et le sultan Mehmed II qui rendait lui-même un vibrant hommage à son digne adversaire : « Comment peut-on prendre le pays d'un homme qui a fait autant de choses extraordinaires et qui sait utiliser si bien le pouvoir et ses sujets[13]. »

Par le cinéma de propagande, Vlad devint ainsi un apôtre de la liberté, juste et loyal, résistant aux assauts des Turcs, mais trahi par ses sujets, ce qui ne manquait pas d'ironie en regard de la propre fin de Ceaușescu, qui s'identifia peut-être jusqu'au bout à cet autre « génie des Carpates ». Il se voyait en avatar moderne de Vlad III, comme lui en lutte contre les menaces extérieures et les dissensions internes.

Pour clore en beauté cette réhabilitation, Ceaușescu imagina de faire construire pour les touristes un gigantesque « Dracula-land », bâti sur le modèle des parcs d'attractions occidentaux. Le projet ne put cependant pas voir le jour, l'histoire ayant pris un tournant auquel le dictateur ne s'était pas attendu.

Le 17 décembre 1989, Ceaușescu fut chassé du pouvoir.

Son régime venait de s'effondrer après qu'un ordre fut donné aux forces armées et à la *Securitate* d'ouvrir le feu sur des manifestants anticommunistes dans la ville de Timișoara.

Cela déclencha une grande vague de protestation, les manifestants envahirent le bâtiment du Comité central, où Ceaușescu présidait une réunion.

Selon la version officielle ultérieure, Nicolae et Elena Ceauşescu auraient pris la fuite en hélicoptère en menaçant le pilote avec une arme à feu. À cause du manque de carburant, l'hélicoptère dut se poser dans la campagne. S'en serait suivie une fuite erratique du couple présidentiel avant qu'il soit rattrapé par des policiers et livré aux forces armées.

Le 25 décembre 1989, à la suite d'une parodie de procès de 55 minutes rendu par un tribunal autoproclamé, Nicolae Ceauşescu et sa femme Elena, coupables de génocide, étaient condamnés à mort et aussitôt fusillés dans la base militaire de Târgovişte.

Le soir même, les images des corps exécutés du couple Ceauşescu furent diffusées à la télévision. On remarqua à cette occasion que les blessures des deux corps à la tête ne correspondaient pas aux impacts de balles du mur derrière eux, situés plutôt au niveau des hanches.

Les cadavres furent enterrés dans un cimetière de Bucarest.

Ultime précaution, on prit bien soin de les inhumer le plus discrètement possible dans une tombe sans nom. Une discrétion qui rappelait celle avec laquelle fut enterré en 1476, après avoir été capturé par les Turcs et décapité, Vlad III l'Empaleur.

Depuis, l'île de Snagov, près de Bucarest, lieu présumé de sa sépulture, est un endroit maudit en raison des crimes et des suicides qui s'y sont produits.

Au début du siècle, on ouvrit sa tombe… Elle était vide.

Il ne serait peut-être pas complètement superflu d'aller jeter un œil prudent sur celle de Nicolae Ceauşescu…

« Non, nous n'avons pas de palais.
Les palais appartiennent au peuple. »
NICOLAE CEAUŞESCU

1 Les apprentis roumanophones ne devront pas s'arrêter à la leçon 16 du *Roumain sans peine* d'Assimil : il n'existe pas de vampires en Roumanie, la tradition faisant plutôt référence à des *strigoï*, des morts-vivants dont la fréquention reste déconseillée...

2 Commandant d'une région militaire.

3 A. Conte, *Les Dictateurs*, op. cit., p. 254.

4 Qui correspond en français à « guide », en allemand à *Führer*, en italien à *duce*...

5 Littéralement : « le génie des Carpates ».

6 Le diable.

7 Même si cela semble assez peu probable que le « sujet » puisse encore être en vie après un tel traitement.

8 Matei Cazacu, *L'Histoire du prince Dracula en Europe centrale et orientale*, Droz, 1988, p. 97.

9 *Nosferatu* est le nom par lequel les Roumains désignent les morts-vivants.

10 Aurelia Vasile, *Le Cinéma roumain pendant la période communiste : représentations de l'histoire nationale*, thèse de doctorat, 2011, p. 368.

11 Ibid., p. 369.

12 Ibid., p. 371.

13 Ibid., p. 561.

14 Ibid., p. 563.

PINOCHET :
le malade imaginaire

Mâchoires saillantes, moue dédaigneuse, yeux dissimulés derrière des lunettes aux verres fumés, Augusto Pinochet était la caricature même du caudillo, le dictateur d'Amérique latine. Le personnage avait tout de la brute, mais une brute cultivée qui connaissait ses classiques, ou du moins le corpus nécessaire à tout bon autocrate qui se respecte.

Par exemple, lecteur de Carl von Clausewitz, ou simplement adepte de ce théoricien de la guerre, Pinochet avait été amené à considérer l'assassinat comme « la continuation de la politique par d'autres moyens[1] ». Avec le soutien de la CIA, le général Augusto Pinochet avait réussi son coup d'État et s'était emparé du pouvoir le 11 septembre 1973 en assassinant le président Salvador Allende et en faisant taire définitivement ses partisans par la pratique à grande échelle des « enlèvements et tortures[2] ». Plus de 3000 morts et disparus, 30 000 personnes torturées, c'était le bilan personnel de son règne pendant 17 ans à la tête du Chili. Augusto venait de combler les espérances et rassurer les craintes de sa chère maman : « Tito, si timide, si sensible… Pour s'imposer, il doit tuer tous ses ennemis. Il n'en tue pas assez. Il a toujours été comme ça[3]. »

Mais Pinochet était aussi un inconditionnel de Machiavel. Il avait compris une chose, c'était que « tous les princes ont vaincu les armes à la main ou ont péri étant désarmés[4] ». Le dictateur devait s'attendre à une fin brutale, mais, contre toute attente, elle n'arriva pas. Seule contrariété pour le caudillo, son arrestation à Londres en 1998 suite à un mandat d'arrêt international émis en Espagne pour « génocide, terrorisme et tortures ».

Une surprise pour Pinochet qui s'était rendu en Angleterre pour y subir des examens médicaux et s'attendait à passer devant les médecins et non les juges de la Haute Cour de justice.

Le caudillo, ayant régné
Tant d'années
Se trouva fort dépourvu
Quand le mandat d'arrêt fut venu.

Mais, bien qu'âgé de 83 ans, Pinochet n'avait pas perdu son sens de la fanfaronnade : « Les condamnations de l'ONU, j'en ai plein ma bibliothèque[5] ! »

Certes, il avait quitté la présidence du Chili en 1990, mais il avait encore conservé le commandement de l'armée. Une belle occasion de garder et de revêtir son uniforme chamarré. Une façon de se protéger aussi contre tous ces fâcheux qui désiraient le traîner en justice dans son propre pays. Virginia Shoppeé, chercheuse d'Amnesty International, y avait fait le voyage dans les années 1990 afin d'étudier la possibilité de l'y faire enfin juger :

« Je m'étais rendue au Chili sept mois auparavant et j'avais rencontré des responsables politiques, des victimes, des proches de victimes et des représentants d'ONG. Personne parmi eux n'envisageait une arrestation de Pinochet. Les violations des droits humains commises sous son régime étaient considérées comme une affaire classée[6]. »

Pinochet n'ignorait pas qu'il bénéficiait d'une véritable immunité, ce qui lui permettait, certain d'être intouchable, de continuer à plastronner auprès des journalistes : « Vous êtes venu pour assister à ma chute ? Eh bien, vous repartirez comme les autres : la queue entre les jambes[7]. »

Son assurance était renforcée par la certitude qu'il avait de son bon droit et que non seulement son régime n'avait rien à voir avec une dictature, mais que le coup d'État sanglant de 1973 s'était imposé par la nécessité où il était d'éviter que le Chili ne se « transforme en un satellite de l'Union soviétique ».

Ce n'était donc pas aux juges, mais à l'histoire de le juger, et il était certain d'être acquitté.

C'était bien sûr oublier un peu vite les innombrables exactions qui furent encouragées ou tolérées par la junte fasciste dont il fut le chef incontesté. Cette « Caravane de la mort », sanglante cohorte qui traversa le pays à son arrivée au pouvoir, la censure et les autodafés, la DINA, police politique chargée de faire régner la terreur par les meurtres et la torture, l'opération Condor, coopération des dictatures dans l'élimination des opposants, la corruption institutionnalisée et les détournements de fonds…

En 1990, une Commission chilienne pour la vérité et la réconciliation tenta bien de « recenser » les crimes commis par les militaires depuis le coup d'État, mais elle ne pouvait mener à aucune condamnation. Sénateur à vie, Pinochet bénéficiait sur le territoire d'une complète immunité qui le protégeait des 300 plaintes déjà déposées contre lui.

Le seul espoir de le voir traduit en justice était donc d'attendre que Pinochet commette l'erreur de quitter son sanctuaire chilien.

Le 3 octobre 1998, alors que, installée à son bureau au siège d'Amnesty International à Londres, Virginia Shoppeé balayait comme chaque jour les dernières informations sur le Chili, elle tomba sur une dépêche surprenante de l'Agence France-Presse : l'ancien président du Chili, le général à la retraite Augusto Pinochet, se rendait au Royaume-Uni pour se faire soigner.

Deux ans auparavant, des procédures judiciaires en vue d'obtenir l'arrestation du général Pinochet avaient été lancées, en Espagne, par Joan Garcés, un avocat espagnol, ancien conseiller de Salvador Allende.

Des dizaines de victimes de la répression du régime militaire chilien avaient fait le voyage pour témoigner. Il était tout à fait possible de saisir l'occasion de ce voyage pour inculper le général en application du principe de compétence universelle, qui permet en théorie à tout État d'enquêter sur des crimes commis dans d'autres pays et d'en poursuivre les auteurs présumés.

« Nous attendions le moment propice pour demander un mandat d'arrêt international contre Pinochet. C'était un problème délicat. Il nous fallait attendre qu'il se rende dans un pays disposant d'un système judiciaire suffisamment fort et indépendant pour résister aux pressions politiques et diplomatiques qui s'exerceraient nécessairement après son arrestation[8]. »

Confiant dans sa totale impunité, le dictateur tomba de haut quand, le 16 octobre, la police anglaise investit bruyamment la clinique où on le soignait pour une complication urinaire survenue après son opération d'une hernie lombaire une semaine plus tôt, et lui signifia, malgré son passeport diplomatique, son interpellation. Il fut assigné à domicile dans l'onéreuse clinique privée où il venait de subir une intervention chirurgicale.

Les policiers venaient d'agir sur requête des autorités espagnoles « pour répondre de crimes commis dans les années 1970 ». Arrestation justifiée par le Foreign Office, qui affirma que le général Pinochet ne bénéficiait pas de l'immunité diplomatique pendant que l'ambassade chilienne protestait en prétendant qu'Augusto Pinochet était en mission officielle avant son opération.

En représailles, le gouvernement chilien annula l'achat prévu de trois frégates à la Royal Navy. À Londres, seule Margaret Thatcher, l'ancienne « Dame de fer » du parlement de Westminster, exigea la libération immédiate de l'ancien président du Chili, rappelant au passage l'aide indirecte que ce dernier avait apportée à son pays pendant la guerre des Malouines.

Le 29 octobre, la Haute Cour de justice britannique lui donnait raison et invalidait le mandat d'arrestation. Retournement de situation quelques jours plus tard : les magistrats à perruque de la Chambre des lords rejetaient l'immunité de Pinochet.

Énième rebondissement, le comité d'appel de la Chambre des lords cassait le jugement de ses pairs qui avait refusé l'immunité au général.

Et l'imbroglio judiciaire était loin de s'arrêter.

Le 16 avril 1999, le ministre de l'Intérieur, Jack Straw, autorisa la poursuite de la procédure d'extradition vers l'Espagne. Le 22 octobre, le chef de la diplomatie chilienne demandait officiellement au Royaume-Uni la libération de leur prisonnier pour raison de santé, ce dernier ayant dû être hospitalisé.

Le patient fut examiné à l'hôpital Northwith, le 5 janvier 2000, et les résultats furent rendus publics : une « neuropathie périphérique diabétique », une « lésion cérébrovasculaire progressive » et une « tendance à l'hypotension posturale » qui rendaient le « sénateur Pinochet capable d'assister à un procès », mais impliquerait que « son état mental et physique continuerait à se détériorer[9] ».

Ce rapport fut déterminant.

Le ministre britannique de l'Intérieur ordonna la remise en liberté de l'ancien chef de l'État chilien pour raisons de santé et, le 3 mars 2000, après 16 mois de détention, Pinochet put enfin s'envoler pour son pays, libre.

À son arrivée à Santiago, le « mourant » gambadait de joie aux cris de ses partisans : « *Pinochet immortal ! Victoria !* »

L'ancien dictateur trouvera la mort des années plus tard, le 10 décembre 2006, s'éteignant « sans peine ni gloire, aussi minablement qu'il avait vécu ses quatre-vingt-onze ans d'individu misérable et immonde dont les seuls talents connus étaient : la trahison, le mensonge et le vol[10] ».

« Parfois la démocratie doit être baignée dans le sang. »
AUGUSTO PINOCHET

1 Carl von Clausewitz, *De la guerre*, 1832.
2 Rémy Bellon et Dominique Rizet, *Le Dossier Pinochet : tortures, enlèvements, disparitions, implications internationales*, Lafon, 2002, p. 349.
3 « Pinochet, enquête sur un dictateur », dans *Le Nouvel Observateur*, janvier 1987.
4 Nicolas Machiavel, *Le Prince*, 1532.
5 Jacques Espérandieu, « Pinochet sans complexe », dans *L'Express*, 21 mars 1986.
6 Compte rendu d'Amnesty International, 16 octobre 2013 (http://www.amnesty.org/fr/news/how-general-pinochets-detention-changed-meaning-justice-2013-10-16).
7 J. Espérandieu, « Pinochet », op. cit.
8 Amnesty International, op. cit.
9 J.-C. Rolinat, *Hommes à poigne*, op. cit., p. 43.
10 Luis Sepúlveda, « Pinochet sans peine ni gloire », dans *Le Monde diplomatique*, janvier 2007.

Kim Jong-il : pour l'amour de Godzilla

C'était une « crotte de nain[1] ». Cette audacieuse comparaison, Kim Jong-il l'avait faite lui-même. Tout autre impertinent aurait très certainement été abattu sur-le-champ. Mais cette exceptionnelle autodérision témoignait d'un certain mal-être que ressentait le dictateur à incarner la grandeur supposée de son pays.

Ce petit homme rondouillard de 1 mètre 57 peinait à en imposer. Il était évident qu'il n'avait pas le charisme de son père. Pourtant, cela n'allait pas l'empêcher de gouverner lui aussi le pays d'une main de fer.

C'est après la mort de son père, Kim Il-sung, en 1994, et après un deuil officiel de trois ans, que Kim Jong-il prit la direction de la Corée du Nord. La situation était alors très difficile.

L'« Étoile guide du XXIe siècle », le « Grand Homme sans précédent » entreprit bien quelques mesures pour juguler la famine qui ravageait le pays, mais elles se révélèrent vite inefficaces, et un à trois millions[2] de Nord-Coréens succombèrent avant même d'avoir pu recevoir la moindre aide.

Impuissant et sans doute un peu chagriné par les malheurs que subissait son peuple, le « Dirigeant bien-aimé » trouvait fort heureusement un certain réconfort dans la nourriture.

Raffolant de caviar iranien arrosé de cognac français et accompagné de foie gras ou de truffes, les temps de crise exigeaient qu'il pût également satisfaire son péché mignon : les hamburgers de chez McDonald's spécialement apportés de Chine par son cuisinier personnel, Kenji Fujimoto[3].

Mais ces petites douceurs étaient insuffisantes à lui faire oublier le sort de tous ces malheureux, même s'ils continuaient, par le biais des artistes officiels, à lui témoigner tout leur amour :

Au matin, lorsque le ciel s'embrase
Nous pensons à ton doux sourire.
Dans la quiétude de la nuit, quand luisent les étoiles
Nous rêvons à ton amour bienveillant.
Nous jurons à notre Bienveillant Leader
De poursuivre l'œuvre du Grand Président.
Quelle que soit la violence de la pluie ou du vent,
Nous jurons notre loyauté pour toujours[4].

Profondément déprimé, le « génie de la révolution » n'avait plus qu'un seul recours : le cinéma, sa grande passion. Kim Jong-il était peut-être un demi-dieu aux yeux de son peuple, qui n'avait guère d'autres choix que de le croire, mais être Dieu, c'était à la longue lassant. Ce qu'il aurait voulu, lui, c'était « être un artiste ». Mais le « cher dirigeant » ne pouvait se laisser aller au « blues du dictateur » ; il avait de grandes responsabilités auxquelles il ne pouvait se soustraire. Son existence entière n'avait été qu'un apprentissage afin de faire de lui le guide parfait pour mener son peuple à la félicité suprême. Et pour cela, il n'avait jamais hésité à se lancer dans les projets les plus ambitieux. Comme ce plan génial qui conciliait fort opportunément ses goûts personnels avec les besoins de la nation. Quelques années plus tôt, il avait eu une sorte d'illumination en comprenant ce qui allait enfin redonner le sourire à tout un pays.

Il n'était alors que le directeur des lettres et des arts au Département de l'agitation et de la propagande[5], mais il avait compris qu'il pouvait œuvrer au développement de l'industrie cinématographique de son pays en réalisant une grande fresque, un film unique, un chef-d'œuvre national. En nouvel Eisenstein, il voulait offrir à la Corée du Nord son *Alexandre Nevski*.

Le « Père de l'humanité » allait réaliser une nouvelle version de Godzilla !

Ou plus exactement, une version nord-coréenne adaptée aux idéaux de la révolution : *Godzilla chez les Soviets*.

Et pour cela, l'« Étoile du communisme » avait besoin des meilleurs. Hélas, l'invasion impérialiste américaine avait fait qu'ils se trouvaient dans la mauvaise partie de la Corée. Depuis la fin de la guerre (1950-1953) qui avait opposé le Nord communiste, soutenu par les Chinois, au Sud soutenu par les Américains, le pays était scindé en deux et il était strictement impossible de franchir la frontière, sorte de nouveau « mur de Berlin » édifié tout le long du 38e parallèle.

Mais, évidemment, cela ne s'appliquait qu'aux simples mortels.

Le « Brillant Leader » ne pouvait décemment pas s'arrêter à ce genre de considérations. Voilà pourquoi il envoya, en 1978, des commandos kidnapper en Corée du Sud celui qui était unanimement considéré comme un « Orson Welles » coréen, le réalisateur Shin Sang-ok[6]. Et pour incarner le premier rôle dans sa superproduction, un seul nom s'imposait, celui de son ex-femme, la grande actrice Choi Eun-hee. Pour cela, il envoya une autre équipe de ses services secrets à Hong Kong, où se trouvait l'actrice. Elle fut à son tour enlevée, puis transportée, sous sédatifs et à fond de cale, à Pyongyang, la capitale nord-coréenne.

Les stars du Sud allaient pouvoir éduquer leurs frères du Nord sur la manière de faire de vrais bons films.

Après les avoir obligés à se marier à nouveau, Kim-Jong-il, ravi d'avoir reformé le couple mythique du cinéma coréen, les mit tous les deux au travail. En deux ans, Shin Sang-ok tourna plus de vingt films de propagande à la gloire du régime, pour des budgets toujours équivalents ou supérieurs à 2,5 millions de dollars. Pour trouver l'inspiration, le metteur en scène était invité à piocher dans l'impressionnante collection de films du dictateur : près de 20 000. Il est vrai que le « Grand Leader » était connu pour son amour du septième art.

Quelques années plus tard, des invités témoigneront de ses goûts avisés en matière de cinéma : *Vendredi 13, Rambo* et la saga des *James Bond* comptaient parmi ses films favoris. Ce qui ne l'empêchait aucunement de vouer un culte à John Wayne et à Elizabeth Taylor.

Celui qui s'était lui-même humblement donné le titre de « Génie du cinéma » était manifestement un connaisseur et pouvait parler en spécialiste. N'avait-il pas rédigé *De l'art cinématographique*, un ouvrage explicitant sa vision du cinéma ?

« Quand les lignes et les conduites du Parti sont saines et correctes, des moyens et des mesures spécifiques sont adoptés pour leur application. Le succès de cette application dépend entièrement des méthodes et du style que les officiels emploient et de la manière dont ils mobilisent les masses pour ce travail[7]. »

C'était clair : il s'agissait d'expliquer en termes « kimjongilistes » comment le cinéma devait véhiculer l'idéologie en place :

« L'acteur est un artiste qui contribue, à travers l'incarnation d'un personnage, à approfondir la compréhension de la vie du peuple, de la situation sociale, et qui vise à la rééducation dans la voie révolutionnaire[8]. »

Ouvrage suivi en 1987 d'un nouvel essai, *Le Cinéma et la Mise en scène*, dans lequel il séparait le bon metteur en scène (le socialiste) du mauvais (le capitaliste) et établissait que le réalisateur devait être le commandant, le chef du projet, le général devant « guider » l'ensemble de l'équipe créative sur le chemin de la guerre cinématographique.

Pour cela, son père, Kim Il-sung, le « Professeur de l'humanité tout entière », lui avait offert une cité du cinéma, où Kim Jong-il avait pu y expérimenter librement ses propres théories, n'hésitant jamais à débarquer en pleine nuit dans les studios pour retoucher les bobines des films révolutionnaires en tournage. Depuis cette époque, aucun film ne s'était fait sans son accord. Et dans les années 1970 fleurissaient un certain nombre de films attribués au « Cher Artiste bien-aimé » : *La Véritable Fille du Parti, La Fille-Fleur, Le Destin d'un combattant du corps d'auto-défens*e…

En 1985, son grand rêve fut enfin réalisé : Shin Sang-ok[9], prisonnier depuis sept ans en Corée du Nord, n'avait pas chômé : *Pulgasari*, le *Godzilla* communiste, était enfin achevé. S'inscrivant dans la tradition des films japonais de *Kaiju Eiga*[10], copié sur le modèle du chef-d'œuvre apocalyptique du Japonais Ishiro Honda, le film bénéficia de l'aide de techniciens japonais ayant œuvré au *Godzilla* originel et d'un scénario écrit par Kim-Jong-il en personne.

« Un village de fermiers est harcelé par un seigneur local qui leur vole tout leur acier pour fabriquer des armes. Le forgeron du village, en captivité, confectionne une dernière œuvre avant de rendre l'âme : une petite figurine faite de riz et de terre appelée Pulgasari.

Celle-ci s'anime quand la fille du forgeron, après s'être piqué le doigt avec un rouet, l'imbibe par hasard avec du sang. La créature se nourrit exclusivement de métal et va alors aider les villageois à renverser le seigneur cruel, mais une fois son œuvre accomplie, elle devient à son tour une menace incontrôlable. »

Succès obligatoire en Corée du Nord, le film connut un échec retentissant en Corée du Sud, où il ne fut vu, à sa sortie, que par un millier de spectateurs.

Le « Grand Homme descendu du ciel » était tombé de haut.

Il s'était imaginé son *Godzilla* partant à la conquête du monde, triomphant dans les salles de cinéma du monde entier ; au lieu de cela, c'était un incompréhensible échec.

Visiblement, l'idéal communiste poursuivi par la Corée du Nord (le *Juche*) ne pouvait être compris à l'étranger.

Ces pays avaient refusé son *Pulgasari* et continuaient à être plongés dans l'obscurité d'un monde privé d'un véritable « Guide des rayons du soleil ». Cette perspective de ne pouvoir étendre à la terre entière sa vision politique et ses conceptions artistiques affligea considérablement Kim Jong-il

Il ne verra jamais son rêve se réaliser.

Le « Général invincible et toujours triomphant » disparut en 2011 d'une attaque cardiaque à l'âge de 69 ans. Sûr d'être un créateur de génie, peut-être s'écriat-il comme Néron, au moment de mourir : « Quel artiste meurt avec moi[11] ! » Il laissera le pouvoir à son fils Kim Jong-un qui, entre deux essais nucléaires, œuvrait peut-être déjà à la réalisation d'un *Retour de la vengeance du fils de Godzilla...*

> « *Le kimilsongisme consiste à enseigner*
> *une loyauté indéfectible à notre président,*
> *pour devenir maîtres de la forteresse matérielle*
> *et idéologique du communisme.* »
>
> Kim Jong-il

1 Michael Breen, *Kim Jong-il : dictateur nord-coréen*, Saint-Honoré Média, 2004, p. 135.

2 S. Chautard, *Les Dictateurs*, op. cit., p. 149.

3 Adam Johnson, *Dear Leader Dreams of Sushi*, GQ, juillet 2013.

4 M. Breen, *Kim Jong-il*, op. cit., p. 100.

5 Il avait notamment veillé à ce que les Coréens continuent d'ignorer qu'on avait posé le pied sur la Lune. « On » étant l'ennemi américain qu'on ne pouvait décemment pas admirer…

6 John Gorenfeld, « The Producer from Hell », dans *The Guardian*, 4 avril 2013.

7 *Kim Jong-il on the Art of the Cinema*, cité par M. Breen, *Kim Jong-il*, op. cit., p. 107.

8 Ibid., p. 110.

9 Le couple parviendra à s'évader en 1986, à l'occasion d'un voyage en Europe. Après avoir faussé compagnie à leurs gardes du corps, ils s'étaient précipités dans une ambassade des États-Unis pour demander asile. Alors que tant de Coréens avaient fui le Nord pour le Sud, ils avaient trouvé la liberté à l'Ouest.

10 Cinéma de monstres dont les plus illustres représentants seront Godzilla, Gamera (une tortue volante géante), Rodan (un ptérodactyle) et… King Kong !

11 « Qualis artifex pereo », dans Suétone, *Vie des douze césars*, op. cit., « Vie de Néron », 44.

SADDAM HUSSEIN :
haut et court

En décembre 2003, perdu dans les décombres de ses rêves, Saddam Hussein se terrait dans un trou creusé sous la terre, à Tikrit, quand il fut arrêté par les Américains avant d'être livré aux autorités irakiennes.

« Ne tirez pas ! Je suis le raïs ! C'est moi Saddam Hussein[1] ! » avait-il imploré.

On l'avait aussitôt extirpé de sa cachette et minutieusement fouillé. Sur lui, on avait trouvé le revolver dont il ne se séparait jamais, et à côté, deux kalachnikovs et une mallette contenant 750 000 dollars.

Deux ans après, son procès s'ouvrait, se déroulant dans une zone ultrasécurisée du centre de Bagdad. L'ancien dictateur comparaissait devant une juridiction particulière, le Tribunal spécial irakien (TSI), qui fut instaurée trois jours seulement après sa capture.

Il avait à répondre de crimes de guerre et de crimes contre l'humanité, actes pour lesquels il encourait la peine de mort. Saddam Hussein, qui dénonçait l'illégalité d'un tribunal mis en place par les autorités d'« occupation » américaine, en contesta la légitimité et essaya en vain d'intenter à son tour un procès contre les Américains pour « crimes de guerre » en Irak et violation des conventions de Genève[2]. Il tenta alors, en février 2005, d'influencer le procès par une grève de la faim. Tentative qui n'eut pas plus de succès.

Le procès se poursuivit, compliqué par la vingtaine de conseillers juridiques et les 500 juristes qui s'étaient portés volontaires pour défendre la cause du dictateur. Après de nombreux rebondissements qui donnèrent au procès une tournure de feuilleton télévisé, le procureur général irakien, Jaafar al-Moussaoui requit la peine de mort contre Saddam Hussein et ses coaccusés « qui ont répandu le malheur sur terre et sont responsables de tous les crimes commis à Doujaïl[3] ».

Le 5 novembre 2006, le tribunal le condamna à mort par pendaison pour crime contre l'humanité. Verdict ne semblant pas surprendre le raïs, qui devait s'y attendre et qui, au lieu de protester, s'était mis à scander « Vive l'Irak », « Vive la Palestine libre », « Nous sommes prêts à mourir ». En réalité, il eut une seule réclamation, le peloton d'exécution, comme le prévoyait la constitution irakienne pour les crimes politiques, mais ses juges lui refusèrent cet « honneur », préférant la pendaison, plus infamante.

La sentence fut exécutée le 30 décembre 2006 à 6 heures du matin.

Les poings menottés, les pieds entravés, le condamné de 69 ans fut conduit dans les sous-sols d'une caserne de l'ancien renseignement militaire, le lieu même où avaient été liquidés nombre d'opposants au régime baasiste et où l'on avait dressé un gibet.

Quelques instants avant sa pendaison, Saddam Hussein tint à adresser un dernier message à la population irakienne. Un message en forme de mise en garde.

« J'espère que vous resterez unis et je vous mets en garde : ne faites pas confiance à la coalition irakienne. Ces gens sont dangereux. » Puis, l'ancien raïs avait ajouté, comme une ultime bravade : « Je n'ai peur de personne[4]. »

Ensuite, un de ses gardiens masqués lui tendit une cagoule que Saddam refusa. Les bourreaux lui passèrent alors autour du cou une écharpe destinée à limiter l'entaille des chairs par la corde, puis il fut hissé mains menottées et fers aux pieds sur l'estrade, où on lui fit passer la tête dans le redoutable nœud coulant.

Moaffaq al-Roubaï, conseiller à la sécurité nationale, releva l'étrange sérénité du dictateur : « Saddam Hussein semblait très calme. Il n'a pas tremblé. Il n'a pas essayé de résister, n'a rien demandé. Il tenait un coran dans sa main qu'il a souhaité envoyer à une personne. À un moment, il a tourné sa tête vers moi comme pour me dire « N'aie pas peur », c'était une sensation très bizarre[5]. »

Mais, comme les préparatifs se terminaient, le condamné s'agita et se mit à crier : « Vive la nation ! Vive le peuple[6] ! » avant de se mettre à maudire les traîtres, les envahisseurs américains, les Iraniens, Israël…

« Je ne crains pas la mort. J'ai combattu toute ma vie les infidèles et les envahisseurs. Nous irons au paradis, tandis que nos ennemis pourriront en enfer[7]. »

Les officiels présents se mirent à l'insulter en scandant le nom de Moqtada, le leader chiite dont la famille avait été décimée par le pouvoir baasiste. En réponse de quoi, s'adressant à ses bourreaux et à ses juges, Saddam Hussein éructa : « Dieu vous damne tous[8] », puis il se calma et se mit à psalmodier la profession de foi musulmane : « J'atteste qu'il n'y a de divinité digne d'adoration en dehors de Dieu »

La suite était connue, mais personne ne l'entendit.

La trappe s'ouvrit en le faisant disparaître dans le vide. Celui qui se prétendait le descendant de Saladin et de Nabuchodonosor n'était plus qu'un pantin disloqué aux yeux grands ouverts mais sans vie.

Cependant, pour Khalil al-Doulaïmi, un de ses avocats, Saddam Hussein était encore vivant en touchant le sol :

« D'habitude, pour une pendaison, on utilise une corde en soie, avec un nœud pas plus gros qu'un poing. Là, c'est du chanvre grossier qui a été utilisé, avec un nœud énorme qui ne pouvait que lui écorcher le cou et le faire souffrir plus longtemps encore. La corde était aussi trop longue afin que Saddam Hussein soit encore vivant, une fois son corps passé par la trappe placée sous ses pieds. Quand il s'est retrouvé sur le sol, il a eu un ultime sourire[9]. »

Faits qui ne semblent pas être corroborés par les témoins. Selon eux, l'ancien dictateur eut immédiatement la nuque brisée. Les affirmations de Khalil al-Doulaïmi ne sont pas confirmées non plus avec la vidéo de l'exécution qui fut filmée au moyen d'un simple téléphone portable. Vidéo qui, du reste, témoigna d'un étrange amateurisme et ne fit que souligner l'absence de caméras professionnelles.

Pour Laurent Gervereau, président de l'Institut des images, cet amateurisme était volontaire, participant d'une « construction de l'image, pour donner l'impression qu'on venait de capturer le dictateur par surprise et pour donner davantage de réalité à l'événement[10] ».

D'une certaine façon, l'absence de mise en scène était encore une mise en scène.

Mais cette fois-ci, il ne s'agissait plus d'une propagande orchestrée par les services de l'ancien raïs pour glorifier son image, mais d'une manœuvre destinée au contraire à lui donner moins d'importance en le faisant disparaître comme un vulgaire bandit de grand chemin

> « *Celui chez qui se réunissent la cupidité*
> *et l'arrogance doit retenir les leçons de l'histoire,*
> *sinon il finira dans la poubelle de l'histoire.* »
>
> SADDAM HUSSEIN

1 Diane Ducret et Emmanuel Hecht, *Les Derniers Jours des dictateurs*, Perrin, 2012, p. 295.

2 S. Chautard, *Les Dictateurs*, op. cit., p. 134.

3 Ibid., p. 137.

4 D'après le témoignage de Mounir Haddad, juge à la cour d'appel du Haut Tribunal pénal irakien, qui a assisté à l'exécution, publié dans *Le Figaro* du 30 décembre 2006.

5 Moaffaq al-Roubaï, dans le même article.

6 I. Bricard, *La Mort*, op. cit., p. 296.

7 Ibid., p. 297.

8 Id.

9 Khalil al-Doulaïmi, dans une interview au *Parisien*, le 9 mars 2010.

10 Propos recueillis par Séverine Nikel, dans *L'Histoire*, mars 2007.

KADHAFI : ainsi
meurent les tyrans

À 69 ans, au même âge que Saddam Hussein, la mort allait s'emparer d'un autre tyran et mettre un terme brutal à une des dictatures les plus longues de notre époque. Il est vrai que Mouammar Kadhafi avait habilement joué pour se maintenir au pouvoir après tant d'années et était même parvenu, malgré son passé de terroriste, à acquérir un semblant de respectabilité qui lui avait valu d'être enfin reçu avec tous les honneurs par la France, la patrie des droits de l'homme.

Celui qui avait planté ses tentes cinq ans plus tôt dans les jardins de la République, à deux pas du palais de l'Élysée, aurait-il pu imaginer qu'il serait traqué par les chasseurs de ces mêmes Français qui l'avaient accueilli avec tant de chaleur ?

Chassé du pouvoir par une révolte populaire, par ce Printemps arabe que personne n'avait vu venir, Kadhafi ne se faisait plus beaucoup d'illusions sur son avenir politique, mais il ne pouvait imaginer qu'en cette belle journée du 20 octobre 2011, la mort viendrait le prendre par surprise et, alors qu'il serait encore à s'étonner et à chercher à comprendre, elle le saisirait et l'emporterait dans une vieille ambulance pour un voyage sans retour.

Ce matin-là, l'eau et la nourriture venant à manquer, Kadhafi et son fils Moatassem tentèrent avec leurs derniers fidèles de quitter la ville de Syrte, assiégée par les troupes rebelles.

Après avoir chargé et réparti des vivres et des munitions dans la quarantaine de 4 X 4 qui accompagnaient la Toyota Land Cruiser blindée du dictateur, le convoi prit la direction de Jaafar, le village où, selon la légende, Mouammar était né sous une tente de Bédouins, en lisière du désert. Ils étaient sur le point de sortir de la ville lorsque, dans le faubourg de Mazrat Zafaran, un missile américain lâché par un drone anéantit la tête de la colonne. Les véhicules, chargés d'essence et de munitions, avaient aussitôt explosé, bloquant ainsi le reste du convoi qui fut obligé de stopper et essuya aussitôt un tir nourri d'insurgés embusqués.

En fin de matinée, deux bombes larguées par un Mirage français explosèrent au milieu des 4 X 4. Blessé à la tête, Kadhafi ne pouvait plus courir. Il réussit néanmoins à s'extraire de son véhicule et à se réfugier en boitant dans une canalisation, une conduite de drainage en béton en contrebas d'un talus. Talonnés par les combattants rebelles, son fils Moatassem et les derniers hommes valides l'avaient abandonné pour fuir à pied.

L'un d'entre eux, un étudiant nommé Omran, ayant repéré la cachette du dictateur, s'enfonça à son tour dans la buse d'où il ressortit quelques secondes en tenant par le col le guide de la révolution. Kadhafi s'était rendu immédiatement, jetant à terre ses armes, en l'occurrence un pistolet Magnum 357 de chez Smith & Wesson dans lequel il restait encore trois balles ainsi qu'une kalachnikov et un fusil-mitrailleur FN Fal.

« Que se passe-t-il ? Ne tirez pas[1] », avait-il balbutié.

On le fouilla : il avait conservé sur lui son arme préférée, un Browning GP 35 plaqué or, orné d'une inscription en arabe : LA CLÉ POUR LA VIE.

Pour une fois, la clé n'avait pas trouvé la serrure.

La suite fut filmée par des téléphones portables dans une grande confusion. Passé à tabac, Kadhafi tenta de parer les coups. « Ça va, ça va ! Que me voulez-vous[2] ? » Les mots avaient été prononcés en dialecte arabe libyen (« *Kheir, kheir. Chenou fi ?* »), mais personne ne l'écoutait plus.

La foule enragée se déchaîna sur lui, on lui arracha les cheveux en le ruant de coups, on tenta même de le sodomiser avec une baïonnette. « Mes fils, mes fils, implorat-il. Ne faites-vous pas la différence entre le bien et le mal[3] ? » À genoux, le despote vomit du sang, un pistolet braqué sur sa tempe, mais aucun coup de feu ne fut tiré à cet instant. Kadhafi, apparemment encore en vie, fut chargé dans une ambulance, comme le montra plus tard un autre enregistrement vidéo.

Arrivé à Misrata, le dictateur était mort.

Était-il déjà mort, d'une balle perdue, avant d'être jeté dans l'ambulance, comme certains l'affirmèrent ? Il semblerait que non, ce qui donnerait à penser que le coup de grâce fut donné pendant le trajet jusqu'à Misrata, à deux heures de là.

Ce serait donc dans l'ambulance que le dictateur aurait été abattu de deux balles. Cependant, les témoignages contradictoires et la confusion qui régnait alors rendent presque impossibles à déterminer avec exactitude les faits et les responsabilités de chacun :

« Quand nous avons capturé Kadhafi, c'était une grande pagaille. Il y avait des combattants partout. Il était en vie quand je l'ai vu, donc il a dû être tué plus tard, pas quand nous l'avons vu là. Mais c'était une scène violente, il a été jeté à l'avant d'une camionnette qui a essayé de l'emmener loin de là et il est tombé. C'était très confus. Des gens lui tiraient les cheveux, le battaient. Nous comprenions qu'il lui fallait un procès, mais nous ne pouvions contrôler personne, certains agissaient au-delà de notre contrôle[4]. »

L'ONG Human Right Watch, présente non loin de là, chercha à établir un rapport sur la mort du dictateur et à rappeler que « tuer des combattants capturés constituait un crime en vertu des lois de la guerre ».

Elle invita les autorités civiles et militaires libyennes à enquêter sur ce qui pouvait être considéré comme un crime de guerre et une atteinte au droit humanitaire international.

Mais les autorités libyennes avaient alors priorité et l'on se contenta dans l'immédiat d'une autopsie qui révéla que Kadhafi avait été tué de deux balles : une dans la tête, l'autre dans le poumon droit.

Torse nu, sommairement nettoyé, le corps du dictateur fut exposé dans une chambre froide d'un marché de Misrata, sur un matelas sanguinolent, entre les cadavres de son fils et de son garde du corps.

Pendant cinq jours, la foule se pressa pour se repaître du spectacle, malgré les heures de queue et l'odeur bientôt irrespirable. Les Libyens voulaient voir de leurs propres yeux ce « diable » qui les avait opprimés pendant plus de quarante ans. L'attente avait été tellement longue, les espoirs, tellement chenus, que jusqu'au bout certains ne purent croire en la fin de leur cauchemar : « Qu'on le juge et qu'on le pende, mais vite. Pour y croire, pour enfin tourner la page, j'ai besoin de le voir mort[5]. »

Kadhafi et son fils furent ensevelis le 25 octobre en un lieu tenu caché. Le Bédouin avait enfin retrouvé, pour l'éternité, les sables du désert…

> *« Quand on sait que l'on a tout donné
> à son peuple dans toutes les catégories
> sociales, on peut mourir tranquille. »*
> MOUAMMAR KADHAFI

1 I. Bricard, *La Mort*, op. cit., p. 319.

2 Id.

3 Id.

4 Témoignage de Khalid Ahmed Raid, commandant rebelle, d'après un rapport de l'ONG Human Right Watch, *Death of a Dictator : Bloody Vengeance in Sirte*, 17 octobre 2012, p. 6.
   (http://www.hrw.org/node/110724/section/7).

5 Vincent Hugeux, *Iran : l'état d'alerte*, L'Express, 2010, p. 318.

Principales sources
bibliographiques

Textes anciens
DION CASSIUS : *Histoire romaine*, Les Belles Lettres, 2003.
PLINE L'ANCIEN : *Histoire naturelle*, Gallimard, 1999.
PROCOPE DE CÉSARÉE, *Histoire secrète*, Les Belles Lettres, 1990.
SUÉTONE : *Vie des douze césars*, Les Belles Lettres, 1932.
ANONYME : *Histoire auguste*, Robert Laffont, 1994.

Caligula
NONY (Daniel) : *Caligula*, Fayard, 1986.

Néron
CIZEK (Eugen) : *Néron*, Fayard, 1982.

Héliogabale
TURCAN (Robert) : *Héliogabale et le sacre du soleil*, Albin Michel, 1985.
ARTAUD (Antonin) : « Héliogabale ou l'anarchiste couronné », dans *Œuvres*, Gallimard, Quarto, 2004.

Théodora
GIBBON (Edward) : *Histoire de la décadence et de la chute de l'Empire romain*, t. VII, Lefèvre, 1819.

Irène
DIEHL (Charles) : *Figures byzantines*, Armand Colin, 1906.

Al-Hakim
NERVAL (Gérard de) : *Voyage en Orient*, Folio Classique Gallimard, 1998.

SILVESTRE DE SACY (Antoine Isaac, baron de) : *Exposé de la religion des Druzes, tiré des livres religieux de cette secte, précédé de la vie du khalife Hakem-Biamr-Allah*, t. I, L'Imprimerie royale, 1838.

Hongwu Ming
HAN (Wu) : *L'Empereur des Ming*, Philippe Picquier, 1996.

Ivan le Terrible
TROYAT (Henri) : *Ivan le Terrible*, Flammarion, 2007.

Robespierre
ARTARIT (Jean) : *Robespierre ou l'impossible filiation*, La Table ronde, 2003.
DES ESSARTS, *La Vie et les Crimes de Robespierre et de ses principaux complices*, Delance, 1797.

Lénine
DOROZYNSKI (Alexandre) : *Moi, Vladimir Oulianov, dit Lénine*, Le Cherche midi, 2001.
FISCHER (Louis) : *La Vie de Lénine*, 10/18, 1964.
GOURFINKEL (Nina) : *Lénine*, Seuil, 1970.
MARIE (Jean-Jacques) : *Lénine*, Balland, 2004.
MOUROUSY (Paul) : *Lénine : la cause du mal*, Perrin, 1992.
SERVICE (Robert) : *Lénine*, Perrin, 2012.

Mussolini
BRISSAUD (André) : *Mussolini, la montée du fascisme*, Perrin, 1983.
LIFFRAN (Françoise) : *Margherita Sarfatti : l'égérie du Duce*, Seuil, 2009.
MILZA (Pierre) : *Mussolini*, Fayard, 1999.

Mao
SNOW (Edgar) : *Étoile rouge sur la Chine*, Stock, 1965.
WANG (Nora) : *Mao Zedong : enfance et adolescence*, Autrement, 1999.

Hitler
HAMANN (Brigitte) : *La Vienne d'Hitler : les années d'apprentissage d'un dictateur*, Éditions des Syrtes, 2001.
KERSHAW (Ian) : *Hitler*, Gallimard, 1995.
LAMBERT (Marc) : *Un peintre nommé Hitler*, France-Empire, 1986.
MACHTAN (Lothar) : *La Face cachée d'Adolf Hitler*, L'Archipel, 2002.
MASER (Werner) : *Prénom : Adolf. Nom : Hitler*, Plon, 1973.
SCHMITT (Éric-Emmanuel) : *La Part de l'autre*, Albin Michel, 2001.
STEINERT (Marlis) : *Hitler*, Fayard, 1991.

Staline
CONQUEST (Robert) : *Staline*, Odile Jacob, 1993.
MARIE (Jean-Jacques) : *Staline*, Fayard, 2001.
SEBAG MONTEFIORE (Simon) : *Le Jeune Staline*, Calmann-Lévy, 2008.
SERVICE (Robert) : *Staline*, Perrin, 2013.

Pol Pot
CHANDLER (David) : *Pol Pot : frère numéro un*, Plon, 1993.
DREYFUS (Paul) : *Pol Pot : le bourreau du Cambodge*, Stock, 2000.
MEYER (Charles) : *Derrière le sourire khmer*, Plon, 1971.
SHORT (Philip) : *Pol Pot : anatomie d'un cauchemar*, Denoël, 2007.

Trujillo
CAPDEVILLA (Lauro) : *La Dictature de Trujillo, République dominicaine, 1930-1961*, L'Harmattan, 1998.
VARGAS LLOSA (Mario) : *La Fête au bouc*, Gallimard, 2002.

Batista
ROLINAT (Jean-Claude) : *Hommes à poigne et dictateurs oubliés de l'Amérique exotique*, Pardès, 2006.

Fidel Castro
CLERC (Jean-Pierre) : *Fidel Castro : une vie*, L'Archipel, 2013.
RAFFY (Serge) : *Castro, l'infidèle*, Fayard, 2003.

Papa Doc
BARROS (Jacques) : *Haïti de 1804 à nos jours*, t. II, L'Harmattan, 1984.
CHARLES (Etzer) : *Le Pouvoir politique en Haïti de 1957 à nos jours*, Karthala, 1994.
DI CHIARA (Catherine-Ève) : *Le Dossier Haïti*, Tallandier, 1988.
DIEDERICH (Bernard) ; BURT (Al) : *Papa Doc et les tontons macoutes*, Albin Michel, 1971.
FLORIVAL (Jean) : *Duvalier : la face cachée de Papa Doc*, Mémoire d'encrier, 2007.

Bokassa
FAES (Géraldine) ; SMITH (Stephen) : *Bokassa Ier : un empereur français*, Calmann-Lévy, 2000.
SAABIE (Adjo) : *Épouses et concubines de Chefs d'État africains*, L'Harmattan, 2008.

Idi Amin Dada
CALAS (Bernard) ; PRUNIER (Gérard) : *L'Ouganda contemporain*, Kathala, 2000.
KAPUSCINSKI (Ryszard) : *Ébène : aventures africaines*, Plon, 2000.

Khomeyni
CARUCHET (William) : *Khomeyni : le janissaire de l'islam*, Saurat, 1987.

Ceauşescu
DURANDIN (Catherine) : *La Mort des Ceauşescu : la vérité sur un coup d'État communiste*, François Bourin, 2009.

Pinochet
BELLON (Rémy) ; RIZET (Dominique) : *Le Dossier Pinochet : tortures, enlèvements, disparitions, implications internationales*, Lafon, 2002.

Kim Jong-il
BREEN (Michael) : *Kim Jon-il : dictateur nord-coréen*, Saint-Honoré Média, 2004.

Saddam Hussein
ABURISH (Saïd) : *Le Vrai Saddam Hussein*, Sain-Simon, 2002.

Kadhafi
NAJJAR (Alexandre) : *Anatomie d'un tyran*, Actes Sud, 2011.

Ouvrages généraux
CHALMET (Véronique) : *L'Enfance des dictateurs*, Prisma, 2013.
CHAUTARD (Sophic) : *Les Dictateurs du XXe siècle*, Studyrama, 2006.
COLLECTIF : *Le Guide suprême : petit dictionnaire des dictateurs*, Ginkgo, 2008.
COLLECTIF : *Le Livre noir du communisme*, Robert Laffont, 1997.
CONTE (Arthur) : *Les Dictateurs du XXe siècle*, Robert Laffont, 1984.
DANSEL (Michel) : *Les Excentriques*, Robert Laffont, Bouquins, 2012.
DE QUINCEY (Thomas) : *Les Césars*, Gallimard, 1991.
DUCRET (Diane) : *Femmes de dictateurs*, Perrin, 2011.
DUCRET (Diane) ; HECHT (Emmanuel) : *Les Derniers Jours des dictateurs*, Perrin, 2012.
MARTIN (Régis) : *Les Douze Césars*, Perrin, 2007.
ROBERT (Jean-Noël) : *Les Plaisirs à Rome*, Payot, 2001.
STRAUSS (Léo) : *De la tyrannie*, Gallimard, 1954.
STEINER (George) ; SPIRE (Antoine) : *La Barbarie de l'ignorance*, L'Aube, 2000.

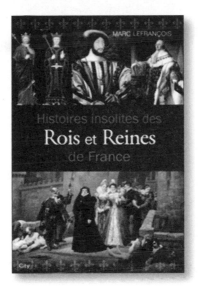

Histoires insolites des rois et des reines de France

Savez-vous que le Loto a été inventé par le roi François Ier ? Que le *God save the queen* est français ? Que Henri III avait tellement peur des chats qu'il s'évanouissait lorsqu'il en apercevait ? Que Louis XVI, passionné pour les découvertes scientifiques, a travaillé à l'amélioration… d'une machine à décapiter ! Que Charles VIII s'est heurté à une porte basse et en est mort ? Que l'ascenseur a été inventé à Versailles pour Mme de Pompadour, fatiguée de monter les escaliers du roi ? Et que l'on a fait bouillir le corps de Saint Louis pour ramener ses ossements en France ?

Autant d'anecdotes insolites sur les rois et les reines qui sont racontées dans ce livre. Ces petites histoires et les à-côtés des souverains qui ont fait la France en donnent une vision surprenante, amusante et passionnante. Loin, très loin des manuels scolaires…

**Petites histoires insolites des rois
et reines de France.**

ISBN : 978-2-8246-0335-3

www.city-editions.com